3つのコツで誰でも話せる

シノドス式

シンプル
英会話

芹沢一也

Kazuya Serizawa

Learning
Simple English Conversation
with
the Synodos Method

高橋書店

はじめに　Prologue

なぜ日本人にとって、英会話はこんなにも難しいのでしょうか。
それは日本語と英語の違いが生み出す「3つの壁」が原因です。

1.「語順」の壁

たとえば道で突然、外国の人に話しかけられたとき。あせって英語を話そうとして、「駅はこの道をまっすぐです」と言いたいのを、station, this street, straight, goと、日本語の語順で言ってしまう現象。

2.「漢字熟語」の壁

たとえば春に外国の人と話していて、花見が話題にあがったとき。「いまサクラが満開なんだよ」と言おうとして、「あれ、『満開』って英語でなんて言うんだ?」と、フリーズしてしまう現象。

3.「話の組み立て方」の壁

たとえば好きなフルーツの話になったとき。「何が好き?」と聞かれて「リンゴが好き」と答えたのに、相手はなぜか話の続きをまっている…。「えっ、このあとほかに何を言えばいいの?」と、戸惑ってしまう現象。

本書は、この「英会話の3つの壁」を打破するためのトレーニングを提供します。右のトレーニングをしていただければ、必ず中級レベル以上の英会話力を手に入れることができます。

英会話は英作文ではありません。**頭のなかで日本語の文章を丸ごと翻訳しているうちは、英語を話せるようにはなりません。**STEP1では、英語の語順感覚を身につけ、英語のモードで言葉をアウトプットするためのトレーニングを行います。

英語を流暢に話すコツは、「具体的」に話すことです。**これを妨げるのが、頭に浮かぶ日本語、とくに漢字熟語にこだわって、そのまま英語にしようとすること**です。STEP2では、日本語の発想から自由になって、英語の発想を身につけるためのトレーニングを行います。

英会話の目的はコミュニケーションです。ところが、日本語の感覚で英語を話すと、うまくコミュニケーションをとることができません。**英語と日本語では、話の組み立て方が異なる**からです。STEP3では、ふたつの話し方のフォーマットを学んで、「体験」を伝え、「意見」を述べるためのトレーニングを行います。

「英会話の3つの壁」を乗りこえて、世界中の人びとと楽しく話せるようになりましょう!

シノドス英会話主宰　芹沢一也

Contents

STEP 3　話を組み立てるトレーニング 　112

スタッフ

本文デザイン・DTP＝装幀新井　　校正＝ぷれす　　イラスト＝FUJIKO

単語を並べる
トレーニング

この章では、話そうとすると英語の語順が
めちゃくちゃになってしまう、

「語順」の壁 を乗り越えるため、

英語の語順感覚を身につけていきます。

1

突然道を聞かれて、英語の語順が
めちゃくちゃになっているところ

ひとつ思考実験をしてみましょう。

ほとんど日本語が話せないアメリカ人と、ほとんど英語が話せない日本人がいるとします。

アメリカ人は、I went to a restaurant in Shinjuku yesterdayを、日本語で伝えたいと思っています。

I は「私」、wentは「行きました」、restaurantは「レストラン」、yesterdayは「きのう」だと知ったアメリカ人は、次のように言いました。

他方で、「きのうは新宿のレストランに行ったよ」と、英語で伝えたい日本人が、「きのう」はyesterday、「レストラン」はrestaurant、「行った」はwentだと知り、次のように言いました。

Yesterday Shinjuku restaurant went

アメリカ人と日本人が、自分の言語の語順で話したわけです。

日本人は、「私、行きました。レストラン。新宿。きのう」と聞いたとき、多少の違和感は覚えつつも、何を言いたいのかはすぐに理解できますよね。

　しかしアメリカ人が、Yesterday Shinjuku restaurant wentと聞いたら、違和感どころの話ではありません。呪文レベルで意味不明でしょう。

　英語と日本語は語順が違う、と誰もが言います。

　その通りなのですが、しかしより正確には、**英語には確固とした語順がある**のに対して、**日本語の語順はきわめて自由**なのです。上のアメリカ人の型破りな日本語が成立するほどの自由さです。

　日本人が英語を話そうとするとき、最初に立ちはだかる壁がこれです。

　みなさんも経験があると思いますが、英語を話そうとして、あせればあせるほど、あるいは、考えれば考えるほど、英語が崩れていきます。これは、日本語の語順感覚に頭が支配されて、英語の語順で言葉を紡ぐことができなくなるからです。

　日本人が英語を話せるようになるためには、この語順の壁を最初に乗り越えねばなりません。

　STEP1では、まず英語と日本語の世界認識の違いを理解します。その上で、英語のモードで正しく言葉をアウトプットできるように、単語を並べるトレーニングを行います。

英語の文章は、単語の並べ方によって意味が決まる

　英語の単語の役割は、「文章のどの位置にあるか」によって決まります。基本的なことから始めますが、このことをいま一度しっかりと理解しましょう。

　たとえば、dogという単語で、英語の文章をつくってみます。

My dog is cute.（ぼくのイヌはかわいいんだよ。）
A dog is chasing a cat.（イヌがネコを追いかけてるよ。）

　それぞれ、冒頭におかれたdogが「主語」ですよね。つまり英語では、**文章のはじめにおかれた単語が、主語の役割をはたす**ことになります。

　それに対して以下の例文のように、dogが**動詞のあとにおかれた場合、それは「目的語」の役割をはたします。**

I like dogs.
（ぼくはイヌが好きなんだ。）
My father walks our dog every morning.
（父が毎朝、イヌの散歩をしてるんだよ。）

　同じdogという単語ですが、文章のなかの位置によって、その役割が違います。

「イヌが何かをしている」と言いたければ、dogを文章の頭におく必要がありますし、「イヌに何かをしている」と言いたければ、dogを動詞のうしろにおく必要があります。

イヌが主語　　　　　　イヌが目的語

ぼくのイヌはかわいい　　ぼくはイヌが好き

　つまり、**英語の文章は単語の並べ方によって意味が決まる**ということです。並べ方を変えれば、意味も変わってしまいます。

Our dog walks my father every morning.

上の文章のように、dogの位置を冒頭に変えると、
「ぼくたちのイヌが毎朝、父を散歩させているんだ」という、
へんてこな意味になってしまいます。

　この点、**日本語では、単語の位置はさほど重要ではありません。**
　日本語には「てにをは」、つまり「助詞」があるからです。ある単語を主語にしたければ、「は」や「が」をつけ、目的語にしたければ「を」や「に」、あるいは「が」をつければいいわけです。

さきほど、「イヌが何かをしている」と「イヌに何かをしている」という日本語の文章を書きました。どちらも冒頭におかれているのは「イヌ」という単語ですよね。英語であれば、両方とも主語だということになります。

しかし、**日本語の場合は、位置の違いではなく、助詞の違いによって、かたや主語、かたや目的語の役割をはたします。**イヌ「が」とイヌ「に」、の違いです。だから、日本語では単語の並べ方がきわめて自由になります。

たとえば、「父はいつも食事を自分の部屋で食べるんです」でも、「いつも自分の部屋で父は食事を食べるんです」でも、意味は変わりませんよね。あるいは、「食事をいつも父は自分の部屋で食べるんです」でも大丈夫です。

日本語の語順は、かくも柔軟性に富んでいます。唯一、「食べるんです」が末尾にくることを除けば、それぞれ語順がバラバラです。

これが日本語の語順の特徴です。

ぼくたちが日本語を話そうとするとき、つまり、何かを考え、それを言葉にしようとするとき、はっきりと**決まった語順に並べることなく、助詞を用いてかなり自由に言葉を紡ぐことができます。**

そして、ここがとても大事なところですが、これがぼくたち日本人の「言葉のアウトプット」の仕方だということです。きわめて自然に、無意識のうちに、そのように日々話しているのです。

道で突然、外国の方に話しかけられ、あせって英語を話そうとして、「駅はこの道をまっすぐです」と言いたいのを、station, this street straight, goなどと、日本語の語順で言ってしまうのもこのためです。

では、どうすれば日本語から英語にモードを切りかえることができるのでしょうか?

そのためには、「英語モード」では世界の認識の仕方が、日本語とはまったく違うことを、まず理解する必要があります。

日本人とはまったく異なる英語の世界認識

「英語モード」の世界では、「誰か・何か」が「何かをして」います。
あるいはそのようなかたちで、英語ネイティブは世界を認識します。

ところが、「日本語モード」の世界では、そのようなかたちで世界は認識されません。

たとえば、以下のイラストをご覧ください。

「さきほどお見せしたイラストは、何のイラストでしたか?」

　少しあとにこう質問されると、多くの日本人は「図書館」と答えるそうです。それに対して、英語ネイティブの多くは、「男が本を読んでいた」と答えます。

　これが英語と日本語の世界認識の違いです。多くの日本人は、最初に「図書館」を意識します。それから、「男が本を読んでいる」ことに意識が向かいます。
「日本語モード」の世界では、このように、まず「場所」(あるいは「とき」)が意識に上ります。次に、そこで「起こっている出来事」に焦点が当てられます。
まず背景が捉えられ、そのあとに出来事に向かう感覚です。

　それに対して、英語ネイティブは、まずA man is reading.、つまり「男が読んでいる」と認識します。日本人の感覚からすると、これがどれほど唐突か、感じられますか?　先ほどのイラストを見て、**何を差し置いても、まず「男が読んでいる」と思う**わけです。
　たとえば I like dogs. であれば、日本語にすると、いきなり「ぼくは好きなんだよ」という感覚、あるいは「休日は何をしてるんですか?」と尋ねられて、「私は見るんですよ(映画を)」と答える感覚です。

　日本人にとってのこの「異様さ」を、しっかりと体感してください。日本語から英語にモードを切りかえるということは、この異様な世界認識に適応するということです。

「英語モード」の世界では、「誰か・何かが、何かをしている」ということが、まず認識されます。だから**必ず英語は「主語＋動詞」からはじまる**のです。ついでa book、そして in the libraryと続きます。

登場人物の行為からはじまり、それから背景に向かうという感覚です。「日本語モード」とは発想が真逆なのです。

[英語モードの発想]

誰か
何か が 何かをしている

a book

in the library

日本語との違いは、主語をI／「私」にするとさらに明確です。

たとえば、きのうのことを聞かれて、英語ネイティブが、I read books in the library.と答えるのに対し、日本人は「きのうは図書館で本を読んでたよ」と答えます。

「私」という主語が消え、図書館という場のなかで、ただ「読んでいた」という出来事だけが残るのです。

「主語＋動詞」からはじまる「英語モード」の世界と、「場」や「とき」のなかで、ときに主語が消えてしまう「日本語モード」の世界。このモードの違いを乗り越えるためには、徹底的な単語を並べるトレーニングが必要となります。

しかも、英語と日本語は、言葉のアウトプットの順番が正反対です。これは少し長い文章を比較すると、一目瞭然となります。

I went to a restaurant that serves the best pizza in Tokyo.
「東京で最高のピザを出すレストランに行ったよ。」

語順を比べてみましょう

英語
I went ➡ to a restaurant ➡
that serves ➡ the best pizza ➡ in Tokyo

日本語
「東京で」➡「最高のピザを」➡「出す」➡
「レストランに」➡（「私は」）➡「行ったよ」

まさに正反対です。

英語では疑問を解消するために情報を足していく

　語順が自由な日本語に対して、英語ではどのように言葉をアウトプットするのでしょうか。

　I went to a restaurant that serves the best pizza in Tokyo.を使って説明してみます。

　まず「主語＋動詞」がきます。I went（私は行った）ですね。
　I wentと言われると、「どこに?」という疑問が浮かびます。
　その答えとしてto a restaurant（レストランに）が続きます。

つまり、英語では、**疑問を解消するために、うしろに情報を足していくのです**。英語を話す際には、この「情報をうしろに足していく」という感覚が、決定的に重要になります。

　さて、I went to a restaurant.はひとつの完結した文章ですから、これで終わっても構いません。しかし、これだと「あるレストランに行った」としか言っていないので、「どんなレストラン」かが気になりますよね。

　そこで、that serves（出している）という情報を足します。

　すると今度は、「何を出しているの?」という疑問が生じますから、the best pizza（最高のピザ）という情報を足します。

　そして、最後に in Tokyo（東京で）という情報を足すことで、最高の範囲を東京に限定します。

　以上が、「英語モード」の単語の並べ方、つまり言葉のアウトプットの仕方です。

　一点、アドバイスです。英語の語順を説明するために、関係代名詞の文章を用いましたが、最初のうちは、以下のようにふたつの文章に分けて話してください。

　I went to a restaurant. / It serves the best pizza in Tokyo.
（私はレストランに行きました。そのレストランは東京で最高のピザを出しています。）

　無理に長い文章や、複雑な文章をつくろうとせず、このように短い文章をつなげていくことが、流暢に英語を話すための近道です。

一緒に以下の日本語の文章を、英語にしてみましょう。

「きのうは新しいジャケットを買いに渋谷に行ったよ。」

上達スピードアップのための注意事項

① 具体的なイメージを頭に思い浮かべよう

文字だけで考えるのはNG。

頭のなかで英作文をするクセがついてしまいます。

② 声に出して言おう!

「主語＋動詞」を日本語で探したとき、それを英語にするとき、そして情報を足すとき、その都度必ず声に出してください。

さて、この日本語の文章は、以下のようなイメージでしょうか。
このようなイメージをしっかりと思い浮かべてください。

ルール1 〉「主語＋動詞」を最初に「日本語」で探しに行く

　この場合は、「私は行った」ですね。「私は行った」と、**必ず声に出して言ってください。**

　そのあとで、「『私は行った』、だから、I wentだ」と思ってください。そして、I wentと、声に出します。

「私は行った」という日本語のかたまりを、I wentという英語のかたまりに置き換えている、という感覚を強くもつことが重要です。

　このように、**まず日本語で「主語＋動詞」を見つけます。**

　日本語を英語のようにアウトプットする感覚です。これに慣れてきたら、いきなり英語で「主語＋動詞」を探しに行ってみてください。こうしたプロセスを経て、やがて日本語から離れ、「英語モード」で考えられるようになっていきます。

ルール2 〉情報をつけ加えるために、言葉を足していく

　さて、「私は行った」/ I wentと言われたら、「どこに行ったの?」という疑問が浮かびます。そこで、さらなる情報として、「渋谷に」という言葉を足します。

　そのあとで、「『渋谷に』だから、to Shibuyaだ」と思います。「渋谷に」という日本語のかたまりを、to Shibuyaというかたまりに置き換えている、という感覚を強くもってください。

　声に出すのを忘れないでくださいね。

　これで、I went to Shibuya.という文章ができました。

英語の語順通りに情報を処理する

もう少し、情報を足していきましょう。

I went to Shibuya.と言われたら、今度は「何をしに渋谷に行ったの?」と思いますよね。

ですので、次は「買いに」/ to buyという言葉をつけ加えます。

すると、今度は「何を買うために?」という疑問が生じます。

そこで「新しいジャケット」/ a new jacket を追加します。

最後に「それはいつのことなの?」という疑問に対する答えとして、「きのう」/ yesterday を追加します。

こうして、

I went to Shibuya to buy a new jacket yesterday.

という英語の文章ができあがりました。

繰り返しますが、英語を話すときは、このように**「情報を足していくという感覚」**を身につけることが絶対に必要です。この感覚がないかぎり、英語を話せるようには決してなりません。

英語を読むときも、返り読みをしてはいけません。それをしているかぎり、「情報を足していくという感覚」が身につきません。

上の英語を読むときには、

I went / to Shibuya / to buy / a new jacket / yesterdayと、

左から右に、前に戻らずに読まなければいけません。

このように英語の語順通りに意味を理解することが重要です。これができないと、話されたときにも理解できません。英語を聞いているときに、「返り聞き」などできませんよね。

　英語の語順の通りに情報を処理する回路を、頭のなかにつくり上げていけば、英語を話すことも、聞くことも、同時にできるようになっていきます。

　さて、この単語を並べるトレーニングは、急いでやる必要はまったくありません。イメージをしっかりと頭に思い浮かべて、むしろ**ゆっくりと行ってください**。英語の語順のルールにしたがって言葉をつなげていく感覚を養い、それを身体化することが大切です。

I went / to Shibuya / to buy / a new jacket / yesterday.

　それぞれの言葉のかたまりがつながっていく感覚を、何度も何度も繰り返し、声に出しながら味わってください。

　慣れてきたら、もう少し大きいかたまりでとらえるようにしてください。

　I went to Shibuya / to buy a new jacket / yesterday という感じです。このようなかたまりのとらえ方ができるようになると、英語が流暢に話せるようになっていきます。

　このトレーニングを繰り返すことで、最終的にはどのようなイメージを思い浮かべても、同じように頭が自然に動いて、**「英語モード」で言葉を紡いでいけるように**なります。

シノドス式英会話 **STEP1** のトレーニング方法

次のページから、単語を並べるトレーニングを用意しています。

例 題 ペ ー ジ

　例題を読んで、文脈をしっかりと把握してください。英会話は英作文ではなく、具体的な文脈のもとで行われるコミュニケーションです。つねに会話であることを意識して、質問に対するセリフとして答えましょう。

コツ

　イラストを参考に具体的なイメージを思い浮かべて、日本語と英語を組み立てる意識を強くもってください。「誰が、何をする」（主語＋動詞）を、頭のイメージのなかに探して、そこに情報を足していきましょう。車両を1両ずつつなげて、電車をつくるような感覚です。

練 習 問 題 ペ ー ジ

　日本語の文章を、英語の語順に変えるためのトレーニングです。

　ここでは、日本語のかたまりを大きくとらえて声に出し、ついで、その日本語のかたまりにあたる英語を声に出してください。

　英文を暗記しても大丈夫。同じ問題で、同じように頭と口を動かして、英語のモードに転換していく感覚をつかんでください。

練習問題

Q01 ワインの違いが分かりません。　▶ ▶ ▶　　▶ ▶ ▶　**A01** 私は違いが分かりません　ワインのあいだの
I can't tell the difference　between wines.

Q02 大阪に行くといつもお好み焼きを食べます。　▶ ▶ ▶　　▶ ▶ ▶　**A02** 私はいつもお好み焼きを食べます
私が行くとき　大阪に
I always eat okonomiyaki　when I go　to Osaka

Q03 私は山の近くの小さな町に住んでいます。　▶ ▶ ▶　　▶ ▶ ▶　**A03** 私は住んでいます　小さな町に　山の近くの
I live　in a small town　near the mountains.

Q04 きのう仕事のあと、同僚と飲みに行きました。　▶ ▶ ▶　　▶ ▶ ▶　**A04** 私は飲みに行きました
私の同僚と一緒に　仕事のあと　きのう
I went out for drinks　with my colleagues
after work　yesterday.

Q05 私の故郷はお茶で有名です。　▶ ▶ ▶　　▶ ▶ ▶　**A05** 私の故郷は有名です　お茶で
My hometown is famous　for its green tea.

Q06 半年ぶりにラーメンを食べました。　▶ ▶ ▶　　▶ ▶ ▶　**A06** 私はラーメンを食べました　はじめて　半年で
I had ramen for the first time　in six months.

Q07 子育てにはお金がかかります。　▶ ▶ ▶　　▶ ▶ ▶　**A07** 子どもを育てることはかかります　多くのお金
Raising children costs　a lot of money.

054　　　055

　すべての問題を1日1回、行ってください。早ければ1か月、遅くても2か月くらいで、必ず頭が「英語モード」で動くようになり、英語の語順感覚がインストールされます。

　さあ、単語を並べるトレーニングにチャレンジしましょう!

•• 最近は何してるんですか？

例題 イメージを思い浮かべながら、日本語を英語の語順に変えてみよう！

来年の
オーストラリア旅行
のために、
いま英語の勉強を
してるんですよ

1	主語＋動詞	私は勉強しています
2	何を？	英語
3	なぜ？	旅行のために
4	どこに？	オーストラリアに
5	いつ	来年

英語にすると

1	主語＋動詞	I'm studying
2	何を？	English
3	なぜ？	for my trip
4	どこに？	to Australia
5	いつ	next year

What are you up to lately?

➕ つなげると……

I'm studying ① English ② for my trip ③ to Australia ④
next year. ⑤

POINT

「～している」のすべてが、現在進行形になるわけではない

「現在進行形」の感覚は、「いま、まさに起こっていること」です。

窓の外を見て雪が降っていれば、It's snowing. 、公園にいて目の前で子どもが遊んでいれば、The kids are playing.です。

現在進行形は、時間的な広がりももっています。例題の「英語の勉強をしてるんですよ」のように、**「近ごろやっていること」も表現できる**のです。

注意点として、日本語の「～している」に引っぱられないようにしましょう。「～している」のすべてが、現在進行形になるわけではありません。

日本語では習慣的に行っていることを、「～している」と表現します。たとえば、「銀行で働いています」や「ピアノを習っています」などです。

このような「習慣」は現在進行形ではなく、「現在形」で表現します。

見分け方は、**現在進行形は「一時的」**だということ。つまり、必ず「終わり」があります（たとえば、雪はやがて降りやみます）。

それに対して、「ピアノを習っている」のは一時的なことではないですよね。ここが、現在形との違いです。

場面 2 ••• ふだん運動しますか？

例題 イメージを思い浮かべながら、日本語を英語の語順に変えてみよう！

ええ、週に2回、仕事帰りにジムに行ってます。

1	主語＋動詞	私は行きます
2	どこに？	ジムに
3	どのくらい？	週に2回
4	いつ？	仕事のあとに

英語にすると

1	主語＋動詞	I go
2	どこに？	to the gym
3	どのくらい？	twice a week
4	いつ？	after work

Do you usually exercise?

➕ つなげると……

Yes. I go to the gym twice a week after work.
①————————②————————③————————④

·POINT·

未来のことでも、「変わらない」ことなら現在形

「現在形」の感覚は「変わらない」ということです。これは「地球は太陽の周りをまわる」のような自然の摂理から、「朝は7時に起きます」のような個人の習慣までふくみます。例題の「週2でジムに行く」のも、習慣ですから現在形です。

　未来のことでも、「変わらない」ことなら現在形です。「フライトは7時です」や「明日は会議があります」などです。とくに**公的なスケジュールは現在形**です。

「終わり」が意識されているかどうかもポイントです。同じ日本語の「〜している」でも、現在進行形との違いはここです。

「銀行で働いてます」は「終わり」が意識されていないので現在形です（I work for a bank.）。 もし「いま一時的に働いている」と言いたければ、I'm working for a bank. と、現在進行形になります。

　I teach English.を日本語にしてくださいと言うと、みなさん口を揃えて「私は英語を教えます」と答えます。「では、それはどういう意味ですか」と重ねて聞くと、「えっ?」という反応を示します。

　みなさんはいかがですか?

　一時的ではないのですから、この人は、「自分は英語の先生」だと言っているのです。

最近毎日、マックなんですよ。

例題　イメージを思い浮かべながら、日本語を英語の語順に変えてみよう!

**ファストフードは
体によくない
ですよ。**

1　主語 = X　　**ファストフードはよくないです**

2　何に?　　　**健康に**

英語にすると

1　主語 = X　　**Fast food is not good**

2　何に?　　　**for your health**

　youには、話している相手を指す「あなた (たち)」という意味と、誰にでも当てはまる状況で使う「人は」「誰でも」という意味があります。for your healthは「誰の健康にとっても」という意味です。

I've been eating McDonald's every day lately.

➕ つなげると……

Fast food is not good for your health.
❶ ❷

⚡POINT

「AはBだ」(「A＝B」) と思ったときは be動詞

「be動詞」の感覚は「＝(イコール)」です。

たとえば、「妻は弁護士なんです」であれば、「妻＝弁護士」ですから、My wife is a lawyer.となります。「バラがきれいだね」ならば、「バラ＝きれい」なので、The roses are beautiful.。「英語は大事だよ」であれば、「英語＝大事」ですから、English is important.です。

少し厄介なのは、日本語では、「A＝B」ではない「AはBだ」という言い回しがあることです。

たとえば居酒屋で、「あれ、山田さんの注文なんだっけ?」、「あ、山田さんはビールです」という会話が行われますが、これは「山田さん＝ビール」ではないですよね。

あるいは、「東京は雨です」というのも「東京＝雨」ではありませんし、「レポートは明日です」も、「来週は出張です」もそうです。

これに気をつけて、「AはBだ」(「A＝B」) と言いたいときは、be動詞を使ってください。

例題の「ファストフードはよくない」は、その否定の「A≠B」、つまり「ファストフード≠よい」ですから、Fast food isn't good.です。

京都のみどころって何ですか？

例題 イメージを思い浮かべながら、日本語を英語の語順に変えてみよう！

京都には、
清水寺とか金閣寺
みたいな古いお寺が
たくさんありますよ。

1	主語＋動詞	〜があります
2	何が？	たくさんの古いお寺
3	どこに？	京都に
4	たとえば？	清水寺や金閣寺のような

英語にすると

1	主語＋動詞	There are
2	何が？	many ancient temples
3	どこに？	in Kyoto
4	たとえば？	like Kiyomizu-Temple and Kinkaku-Temple

What are the popular sights in Kyoto?

➕ つなげると……

There are ─① many ancient temples ─② in Kyoto ─③

like Kiyomizu-Temple and Kinkaku-Temple. ─④

✎POINT

はじめて話題に登場する人やモノは There is / are 〜

「〜があります・います」と言いたいときは"There is/are 〜"を使います。ただ、少しややこしいのが、be動詞にも「〜があります・います」という意味があることです。使い分けは、はじめて話題に登場する人やモノはThere is/are 〜だということです。

例題ですと、「京都のみどころ」を聞かれて、「古いお寺がたくさんありますよ」と、はじめて「古いお寺」が話題に登場しますよね。こういう場合は、There is/are 〜です。

それに対して、**特定の人やモノの場合は「be動詞」です**。たとえば、「ぼくのメガネ、知らない?」と聞かれて、「ああ、それ(メガネ)なら机の上にあるよ」と言う場合、「それ」(メガネ)は特定のモノですから、They are on the desk.となります。

あるいは、「お気に入りのバーが目黒にあります」と言いたいとき、「お気に入りのバー」は特定のバーですよね。ですから、My favorite bar is in Meguro.です。「いま駅前にいます」も、私は特定できますから、I'm in front of the station now.です。

週末は何をする予定ですか？

例題 イメージを思い浮かべながら、日本語を英語の語順に変えてみよう！

**週末は、
新しいレストランを
試してみる
つもりです。**

1 主語＋動詞 **私は試すつもりです**

2 何を? **新しいレストラン**

3 いつ? **週末**

英語にすると

1 主語＋動詞 **I'm going to try out**

2 何を? **a new restaurant**

3 いつ? **this weekend**

　新しい料理やスポーツ、趣味や場所など、未経験のものやことを試してみるとき、tryを使います。Have you tried *takoyaki* before? (たこ焼きって食べたことある?) や I've always wanted to try snowboarding. (ずっとスノーボードをやってみたかったんです) という感じです。

What are you doing this weekend?

➕ つなげると……

I'm going to try out ❶ a new restaurant this weekend. ❸

❷

POINT |||||||||||||||||||||||||||||||||||||||||||||||||||||||||||||||||||||||||||||||||||||||||||||||||

I'll は「いま決めたこと」に使う

　今後の予定について話したいときは、"I'm going to"です。 これは日本語だと、「〜する予定です」「〜するつもりです」「〜します」といった感じで、計画されている行動や、心に決めていることを話すときに使われます。

　「週末の予定は?」という質問が、What are you doing this weekend?となっていますが、このように、**予定を話すときに「現在進行形」を使う場合もあります。**

　両者のあいだにニュアンスの違いがあるという解説もありますが、実際の会話では同じように使われていますので、どちらを使っていただいてもとくに問題はありません。

　"I'll"（I willの短縮形）は、「いま決めたこと」について使います。

　たとえば、「牛乳が切れてるから帰りに買ってきて」と頼まれて、「うん、コンビニで買って帰るよ」という場合、これは「いま決めたこと」ですから、I'll pick up some milk at the convenience store.となります。

　予定を話すときは、"will"ではなく、"be going to"か「現在進行形」を用いてください。

•. 海外に行ったことってありますか?

例題 イメージを思い浮かべながら、日本語を英語の語順に変えてみよう!

ええ、はじめて
海外旅行したのは、
大学生のとき
でしたよ。

1	主語＋動詞	私は旅行しました
2	どこに?	海外に
3	どのくらい?	はじめて
4	いつ?	私が大学生のとき

英語にすると

1	主語＋動詞	I traveled
2	どこに?	abroad
3	どのくらい?	for the first time
4	いつ?	when I was in college

Have you ever been abroad?

➕ つなげると……

Yes. I traveled abroad for the first time
①———————②—————————③

when I was in college.
④

✦POINT

日本語の「〜た」は必ずしも過去形ではない

　「過去形」の感覚は、「**現在とは無関係**」ということです。過去のある時点において起こり、すでに過ぎ去ってしまっていて、振り返ると、過去のあるときに、永久に不動のままそこにある、という感覚です。

　過去形を使うとき、その出来事は現在から切り離されます。この過去形の感覚をつかむのが、とても重要です。

　注意点は、日本語の「〜た」は必ずしも過去形ではないということです。たとえば、「お腹すいた」や「疲れた」。これは「いま、お腹がすいている」「いま、疲れている」ということですよね。ですから、これは現在形、I'm hungry.とI'm tired.です。

　「電車が来た!」なんかも同じです。これも「いま、電車が来ている」わけですから、Here comes the train!となります。

　過去形を使うときは、過去を示す表現と一緒に話すようにしてください。yesterday / last month / two years agoなどです。

　「きのう」「先月」「2年前」は、現在ではまったくないですよね。反対にいうと、このような過去を示す表現をつけられるなら、その文章は過去形だということです。

このあいだ、新しくできたレストランで
クスクスを食べたんですが、おいしかったですよ。

例題 イメージを思い浮かべながら、日本語を英語の語順に変えてみよう!

へー、ぼくは
アフリカの料理って
食べたことが
ないんですよ。

1	主語＋動詞	**私は食べたことがありません**
2	何を?	**アフリカ料理**

英語にすると

1	主語＋動詞	**I've never had**
2	何を?	**African food**

「食事をする」や「何かを食べる」と言うときはhaveを使います。たとえば、「朝食を食べる」はhave breakfastです。また、レストランで「サーモンにします」と言いたいときはI'll have the salmon.、「コーヒーを飲んだ」はI had a coffee.です。

I tried couscous at a new restaurant
recently, and it was great.

➕ つなげると……

Wow, I've never had African food.
①────────────②

POINT ┈┈

「〜したことがない」は現在完了形

　「現在完了形」のコンセプトは、「過去形」と比較するとはっきりします。過去形は、現在とは切り離された、すでに過ぎ去った出来事です。それに対して、**現在完了形は、過去にはじまり、まだ続いていること、あるいは「現在」に関わっていること**です。

　「アフリカ料理を食べたことがない」というのは、「生まれてから現在にいたるまで」、アフリカ料理を食べたという「経験」をもっていない、ということです。これを過去形にしたら、「アフリカ料理を食べなかった」という過去の事実になってしまいます。

　あるいは、I've been to Hokkaido twice.は、これまでの人生で、2回北海道に行った「経験」があるということです。

　この過去から続く時間のなかで、「これまでの経験」を話すとき、現在完了形を用います。

　以上が文法の説明ですが、実際には、「〜したことがない」は現在完了形でないとだめですが、「〜したことがある」のほうは、I went to Hokkaido twice.と、**過去形が使われる場合も少なくありません**。会話には文脈がありますから、過去形を使っても実際はとくに問題は生じません。

場面 8 英語を勉強して けっこう長いんですか?

例題 イメージを思い浮かべながら、日本語を英語の語順に変えてみよう!

いやー、もう10年、
英語を勉強
してますよ。

1	主語＋動詞	**私は勉強しています**
2	何を?	**英語**
3	どのくらい?	**10年間**

英語にすると

1	主語＋動詞	**I've been studying**
2	何を?	**English**
3	どのくらい?	**for 10 years**

studyとlearnの違いは、「勉強する」と「学ぶ」の違いです。たとえば、「10年間、英語を勉強したけれど、まったく身につかなかった」と言うとき、「勉強する」がstudyで、「身につく」が learnです。studyは何かを学ぶ「過程」に重心があり、learnは知識やスキルを身につけた「結果」に重心があります。

Have you been studying English for a long time?

➕ つなげると……

Yeah. I've been studying ① English ② for 10 years. ③

⚡POINT

過去にはじまったことが、まだ続いているときは現在完了形

10年前に英語の勉強をはじめ、現在でもまだ続けている。このような**「時間の幅」を表したいとき、「現在完了形」を使います。**

この場合、ものごとが継続しているので、I've been studying.のように現在完了進行形になることが多いです。

これは日本語の語感で行けますので、いくつか例文を見てみましょう。

「子どものころからピアノをひいてます。」

「きのうから雪がふっています。」

「もう30分、バスをまってます。」

「今日は1日、気分がすぐれません。」

「ピアノをひくこと」「雪がふること」「バスをまつこと」「気分がすぐれないこと」。過去にはじまったことが、まだ続いていますよね。この感覚が現在完了（進行形）です。

ひとつ注意してほしいのは、日本語では「〜になります」という言い方をよくすることです。たとえば、「ここで働きはじめて3年になります」。これは、「ここで3年間、働いている」ということ、つまり現在完了形です。

この用法は過去形にはできません。過去形にすると、「以前ここで3年間働いていた」と、過去の話になってしまいます。

このあいだ話してた映画、もう見ました?

例題 イメージを思い浮かべながら、日本語を英語の語順に変えてみよう!

いや、
あの映画、まだ
見てないんですよ。

1	主語+動詞	**私は見ていません**
2	何を?	**あの映画**
3	副詞	**まだ**

英語にすると

1	主語+動詞	**I haven't seen**
2	何を?	**that movie**
3	副詞	**yet**

　seeは、意識的に見るかどうかは関係なく、視界に入ってくるときに使います。watchは、動いているものを、とくに注意して見る場合に使います。映画にはどちらも使えるのですが、映画館で見る場合、スクリーンが大きく「自然に視界に入る」ので、seeを使うのが一般的です。

Have you seen the movie we talked about earlier?

➕ つなげると……

No. I haven't seen that movie yet.
①　　　　　　　　　②　　　③

⋄POINT

「まだ〜をしていない」は現在完了形

1　「ノーランの新作、もう見た?」
2　「新しい仕事がまだ見つからないんだよ。」
3　「お昼はもうすませました。」
これらはすべて「現在完了形」です。

この現在完了形の使い方は、過去形との違いが分かりにくいですね。

2については、過去に仕事を探しはじめて、いまも探しているわけですから、過去形ではないとすぐ分かります。現に過去形にすると、「仕事が見つからなかった」と、意味が変わってしまいます。

微妙なのは、まず1です。これは、たとえば、「まだ見てなかったら一緒に見ない?」という風に、「現在」に関わっているんですね。だから、現在完了形で表現します。

さらに微妙なのは3です。ただこれも、たとえば、「だからお昼をご一緒できません」というように、「現在」に関わっているんです。

とはいえ、これも文法の話で、**1と3に関しては、過去形でもとくに問題はありません。**実際、会話では過去形が多用されています。**2のみ、必ず現在完了形にしてください。**

時間があるときって、何をするのが好きですか？

例題 イメージを思い浮かべながら、日本語を英語の語順に変えてみよう！

近所のお気に入りのカフェで読書を楽しんでいます。

1	主語＋動詞	私は楽しんでいます
2	何を?	読書
3	どこで?	私のお気に入りのカフェで
4	どこの?	近所の

英語にすると

1	主語＋動詞	I enjoy
2	何を?	reading
3	どこで?	at my favorite cafe
4	どこの?	in my neighborhood

What do you like doing in your free time?

➕ つなげると……

I enjoy reading at my favorite cafe
　①　　　　②　　　　　　　　　　　　　③
in my neighborhood.
　　　　④

·̣·POINT·̣·

動名詞は「A＝B」の構文で威力を発揮する

「ウサギが大好き」（I love rabbits.）とか、「新しいジャケットを買っ
た」（I bought a new jacket.）とか、動詞のうしろにおけるのは「名詞」
だけですよね。

ところが、動詞に"ing"をつけると、その動詞は名詞になって「動名
詞」と呼ばれます。**こう変化させることで、動詞のうしろにおけるよ
うになります。**

read（読む）という動詞に"ing"をつけると、「読むこと」＝「読書」に
なって、enjoyに続けることができます。ほかにもlike / love / hate / start
/ finishなどの動詞のあとに、この動名詞をおくことができます。

動名詞は「A＝B」の構文でさらに威力を発揮します。**動詞に"ing"をつ
ければ、AにもBにもおくことができる**からです。

Drinking is bad for your health.

（「お酒を飲むこと」は体に悪いよ。）

My morning routine is studying English.

（朝の日課は英語を「勉強すること」です。）

という感じです。

何か将来やりたいことって ありますか？

例題 イメージを思い浮かべながら、日本語を英語の語順に変えてみよう！

ぼくの夢は、
いつかアフリカで
野生動物を見ること
なんですよ。

1	主語 = X	私の夢は見ることです
2	何を？	野生動物
3	どこで？	アフリカで
4	いつ？	いつか

英語にすると

1	主語 = X	My dream is to see
2	何を？	the wildlife
3	どこで？	in Africa
4	いつ？	someday

What is something you would like to do in the future?

➕ つなげると……

My dream is to see the wildlife
──────①──────────②

in Africa someday.
───③──────④

::POINT::

「A=B」の構文で、AにもBにも使える to 不定詞

　動詞を名詞にする方法は、"ing"をつける「動名詞」、そして動詞の前に"to"をおく「to不定詞」があります。

　to不定詞は、「A=B」の構文で、AにもBにも使えます。Bに入れれば、例題の「My dream＝to see」のように使えますし、Aに入れれば To make new friends is not easy.（新しい友だちを「つくること」は簡単じゃない）のように使えます。

　また、動詞のあとにもおけるようになります。want to（〜したい）、like to（〜が好きだ）、need to（〜する必要がある）、decide to（〜することを決める）など、おなじみのラインナップですね。

　また、「A＝to不定詞」を変形すると、「It's＋形容詞＋to不定詞」という、お役立ちの構文ができます。「…することは〜だ」と言いたいときに使ってください。

　It's important to exercise regularly.
　（定期的に運動することは大切。）
　It's interesting to talk to people from different countries.
　（いろいろな国の人と話すことは面白いです。）

場面 12

．・ お昼はふだん外食ですか？

例題　イメージを思い浮かべながら、日本語を英語の語順に変えてみよう！

**いえ、健康を考えて、
毎日、会社に弁当を
持っていってます。**

1	主語＋動詞	**私は持っていきます**
2	何を？	**弁当**
3	どこに？	**仕事に**
4	いつ？	**毎日**
5	なぜ？	**より健康になるために**

英語にすると

1	主語＋動詞	**I bring**
2	何を？	**my lunch**
3	どこに？	**to work**
4	いつ？	**every day**
5	なぜ？	**to be more healthy**

Do you usually eat out for lunch?

➕ つなげると……

No. I bring my lunch to work every day
①　　　　　②　　　　③　　　　④

to be more healthy.
⑤

·POINT·

「～するために」は to 不定詞の出番

「～するために」と言いたいときは、「to不定詞」の出番です。例題は「より健康になるために」ですから、to be more healthyですね。

これは難しいことはないと思いますので、**to不定詞を用いたマストな表現**を、あとふたつお教えします。

ひとつめは、「I have X to不定詞」です。

I have a report to finish by tomorrow.

（明日までにやらなくてはいけないレポートがあるんだ。）

I have someone to meet tomorrow.

（明日、会わなければならない人がいるんですよ。）

もうひとつは、「what to不定詞」や「where to不定詞」、「how to不定詞」などです。

I'm wondering where to travel this summer.

（今年の夏どこに旅行に行こうか悩んでいる。）

I can't decide what to wear to the party.

（パーティに何を着ていけばいいのか決められない。）

I don't know how to use the app.

（そのアプリをどう使うのか分からない。）

•. 最近、お肌の調子が悪いのよ。

例題　イメージを思い浮かべながら、日本語を英語の語順に変えてみよう!

**もっとフルーツや
野菜を食べると
いいと思うよ。**

1	主語＋動詞	**私は思います**
2	何を?	**あなたは食べたほうがいいです**
3	何を?	**より多くのフルーツと野菜を**

英語にすると

1	主語＋動詞	**I think**
2	何を?	**you should eat**
3	何を?	**more fruits and vegetables**

　日常的な食事や飲食にはhaveを使いますが、具体的な食べる行為を強調する場合はeatを使います。上のような例のほか、He doesn't eat meat.（彼は肉を食べない）や、Eat slowly to help your digestion.（消化を助けるためにゆっくり食べなさい）などです。

My skin doesn't look so good lately.

➕ つなげると……

I think you should eat
①──────────②
more fruits and vegetables.
──────────③

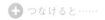

POINT

会話にマストな助動詞を学ぼう

- 例題のように、相手に「〜したほうがいいよ」と提案する場合は "should" です。"You had better" は「〜しないとひどい目にあうよ」と、脅しが入っているので使わないでください。

- 「〜かもしれない」と言いたいときは "might" です。
  You might get sick if you work too much.
  (働きすぎると体調を崩すかもしれないよ。)

- 「〜していただけますか?」とお願いするときは "Could you〜?"。
  Could you tell me more about your country?
  (あなたの国について、もっと教えていただけますか。)

- 「〜してもいいですか?」と聞くときは "Can I〜?"。
  Can I try this on? (これを試着してもいいですか?)

- 「〜しておくべきだった」と後悔の念を表すときは "should've"。
  I should've studied more when I was young.
  (若いころ、もっと勉強しておくべきだったよ。)

- 「自分なら〜するな」とアドバイスをするときは "I would〜"。
  I would take the offer. (私ならそのオファー、受けますね。)

場面 14

•. なんでダイエットしてるんですか？

例題 イメージを思い浮かべながら、日本語を英語の語順に変えてみよう！

スーツが
きつくなってきたから
痩せないと
いけないんです！

1	主語＋動詞	**私は減らさなくてはいけません**
2	何を？	**体重**
3	接続詞	**なぜなら**
4	主語 ＝ X	**私のスーツはきつくなってきた**

英語にすると

1	主語＋動詞	I have to lose
2	何を？	weight
3	接続詞	because
4	主語 ＝ X	my suits are getting tight

Why are you on a diet?

➕ つなげると……

I have to lose weight because
────①──── ────②──── ────③────

my suits are getting tight!
────④────

⟡POINT

状況に強いられているときはhave to～

「何かをしなくてはいけない」ときは、"have to～"です。

have toを使うのは、**外的な理由によって、あるいは社会的なルールによって、何かをしなければならないとき**です。

例題は、「痩せなければ！　さもないと、スーツが着られなくなってしまう！」という強い必要性、あるいは義務感によって、ダイエットを「強いられている」ため、have toを使っています。

同じような意味をもつ表現として、"need to"がありますが、これは**自分の目標や目的を達成するために、何かをしなければならないとき**に使います。

たとえば、I need to lose weight so I can look good in a suit!と言う場合は、「スーツが似合うように、がんばってダイエットしなければ！」という、個人の意志や選択を強調しています。

英会話、上達してますか？

例題 イメージを思い浮かべながら、日本語を英語の語順に変えてみよう！

それがなかなか。
いま英会話を
伸ばしてくれる
英語の先生を
探してるんですよ。

1	主語＋動詞	私は探しています
2	何を？	英語の先生
3	どんな？	私を助けてくれる
4	何を？	私のスピーキング力を上達させる

英語 に すると

1	主語＋動詞	I am looking
2	何を？	for an English teacher
3	どんな？	who will help me
4	何を？	improve my speaking skills

Are you getting better at speaking English?

➕ つなげると……

Not really. I am looking ① for an English teacher ② who will help me ③ improvemy my speaking skills. ④

✎POINT

英語最大の難関のひとつとされる関係代名詞

　「関係代名詞」は、単語を並べるトレーニングをやってきたみなさんにとって、それほど難しくないはずです。**英語はただ情報を足していくだけ。**このことを念頭におけば、簡単に理解できますし、すぐに使えるようになります。

　例題ですと、「ぼくは探しているんです」「英語の先生を」のあとに「どのような?」という情報を足しているだけです。

ほかにも、「きのう見た映画は面白かった」と言いたければ、The movie that I saw yesterdayという主語を作ればオッケーです。「映画」のあとに「どんな?」を足して、「私がきのう見た」をつけ加えているだけです。これを使って、The movie that I saw yesterday was interesting.（「私がきのう見た映画＝面白い」）という文章がつくれます。

　あるいは、I went to a shop.（ぼくはお店に行ったよ）だけですと、いかにも情報が足りていません。そこで、「とてもおいしいどら焼きを売っている」という情報をうしろに足して、どんなお店か説明するわけです。英語は、I went to a shop that sells amazing *dorayaki*. となります。

　主格とか目的格とか、難しく考えなくても大丈夫です!

練習問題

Q01 ワインの違いが分かりません。　▶ ▶ ▶

Q02 大阪に行くといつもお好み焼きを食べます。　▶ ▶ ▶

Q03 私は山の近くの小さな町に住んでいます。　▶ ▶ ▶

Q04 きのう仕事のあと、同僚と飲みに行きました。　▶ ▶ ▶

Q05 私の故郷はお茶で有名です。　▶ ▶ ▶

Q06 半年ぶりにラーメンを食べました。　▶ ▶ ▶

Q07 子育てにはお金がかかります。　▶ ▶ ▶

▶ ▶ ▶ **A01** 私は違いが分かりません / ワインのあいだの
I can't tell the difference / between wines.

▶ ▶ ▶ **A02** 私はいつもお好み焼きを食べます /
私が行くとき / 大阪に
I always eat *okonomiyaki* / when I go / to Osaka

▶ ▶ ▶ **A03** 私は住んでいます / 小さな町に / 山の近くの
I live / in a small town / near the mountains.

▶ ▶ ▶ **A04** 私は飲みに行きました /
私の同僚と一緒に / 仕事のあと / きのう
I went out for drinks / with my colleagues /
after work / yesterday.

▶ ▶ ▶ **A05** 私の故郷は有名です / お茶で
My hometown is famous / for its green tea.

▶ ▶ ▶ **A06** 私はラーメンを食べました / はじめて / 半年で
I had *ramen* / for the first time / in six months.

▶ ▶ ▶ **A07** 子どもを育てることはかかります / 多くのお金
Raising children costs / a lot of money.

Q08 朝のラッシュアワーは電車がすごく混んでます。 ▷ ▷ ▷ ▷

Q09 私たちは海が見える部屋に泊まりました。 ▷ ▷ ▷ ▷

Q10 彼がどんな映画が好きか分かりません。 ▷ ▷ ▷ ▷

Q11 台風でフライトは欠航になりました。 ▷ ▷ ▷ ▷

Q12 赤のドレスのほうが似合うと思います。 ▷ ▷ ▷ ▷

Q13 このコンピューターは高いけど、
値段に見合ってる。 ▷ ▷ ▷ ▷

Q14 ずっとノルウェーにオーロラを
見に行きたかったんです。 ▷ ▷ ▷ ▷

▶ ▶ ▶ ▶ **A08**
電車はとても混んでいます /
朝のラッシュアワーのあいだ
The trains are really crowded /
during the morning rush hour.

▶ ▶ ▶ ▶ **A09**
私たちは泊まりました / 部屋に /
海の眺めをもった
We stayed / in a room / with an ocean view.

▶ ▶ ▶ ▶ **A10**
私は分かりません / どのような映画 / 彼が好き
I don't know / what kind of movies / he likes.

▶ ▶ ▶ ▶ **A11**
私のフライトはキャンセルされました /
台風のせいで
My fright was canceled / due to a typhoon.

▶ ▶ ▶ ▶ **A12**
私は思います / 赤いドレスがよりよく見える /
あなたに
I think / the red dress looks better / on you.

▶ ▶ ▶ ▶ **A13**
このコンピューターは高いです / しかし /
値段の価値があります
This computer is expensive / but / worth its price.

▶ ▶ ▶ ▶ **A14**
私はずっと行きたかったです / ノルウェーに /
オーロラを見るために
I've always wanted to go / to Norway /
to see the northern lights.

Q15 ここ数週間、忙しかったんだ。 ▶ ▶ ▶

Q16 終電に乗るために駅まで走りました。 ▶ ▶ ▶

Q17 来月、パリに出張です。 ▶ ▶ ▶

Q18 そのレストランに行くのは3度目でした。 ▶ ▶ ▶

Q19 その映画は小説がもとになっています。 ▶ ▶ ▶

Q20 私たちは夕暮れに海辺を散歩しました。 ▶ ▶ ▶

Q21 このあいだイタリアについての本を読みました。 ▶ ▶ ▶

▷ ▷ ▷ **A15** **私は忙しかったです / ここ数週間**

I have been busy / these past couple of weeks.

▷ ▷ ▷ **A16** **私は駅まで走りました / 終電に乗るために**

I ran to the station / to catch the last train.

▷ ▷ ▷ **A17** **私は出張に行く予定です / パリに / 来月**

I'm going on a business trip / to Paris / next month.

▷ ▷ ▷ **A18** **それは私の3度目の訪問でした /
そのレストランへ**

It was my third visit / to that restaurant.

▷ ▷ ▷ **A19** **その映画はもとづいています / 小説に**

The movie is based / on a novel.

▷ ▷ ▷ **A20** **私たちは散歩しました / 海辺を / 夕方に**

We took a walk / on the beach / in the evening.

▷ ▷ ▷ **A21** **私は本を読みました / イタリアについての /
このあいだ**

I read a book / about Italy / recentry.

Q22　きのうは就職面接だったので、
　　　スーツを着なければいけませんでした。　　　▶ ▶ ▶

Q23　私たちは夏休みを北海道で過ごしました。　　　▶ ▶ ▶

Q24　たくさん足があるので、クモが怖いです。　　　▶ ▶ ▶

Q25　そろそろ寝ようとしていたときに、
　　　友だちが電話をかけてきました。　　　▶ ▶ ▶

Q26　会社の近くに新しいイタリアンレストランが
　　　できました。　　　▶ ▶ ▶

Q27　彼女が髪を切ったのに気づきませんでした。　　　▶ ▶ ▶

Q28　ワインをこぼして恥ずかしかったです。　　　▶ ▶ ▶

▶ ▶ ▶ **A22**
私はスーツを着なければいけませんでした /
就職面接のために / きのう
I had to wear a suit / for a job interview / yesterday.

▶ ▶ ▶ **A23**
私たちは夏休みを過ごしました / 北海道で
We spent our summer vacation / in Hokkaido.

▶ ▶ ▶ **A24**
私はクモが怖いです / なぜなら /
それはたくさんの足をもっている
I'm scared of spiders / because / they have many legs.

▶ ▶ ▶ **A25**
私は寝ようとしていました /
私の友だちが電話をかけてきたとき
I was about to go to bed / when my friend called.

▶ ▶ ▶ **A26**
新しいイタリアンレストランが開店しました /
私の会社の近くに
A new Italian restaurant has opened / near my office.

▶ ▶ ▶ **A27**
私は気づきませんでした /
彼女が髪を切ったこと
I didn't notice / that she got a haircut.

▶ ▶ ▶ **A28**
私はワインをこぼしました / そして /
私は恥ずかしかったです
I spilled wine / and / I was embarrassed.

Q29　会議の開始時間を調べてもらえますか？　▶ ▶ ▶

Q30　いまの仕事、あまり気に入ってないんです。　▶ ▶ ▶

Q31　来月からスペイン語の勉強をはじめる計画です。　▶ ▶ ▶

Q32　ストレスとのつき合い方が分からなくて。　▶ ▶ ▶

Q33　うちは駅から少し離れてるんです。　▶ ▶ ▶

Q34　どの冷蔵庫を買うべきか迷ってます。　▶ ▶ ▶

Q35　少なくとも月に1冊は本を読むようにしてます。　▶ ▶ ▶

▶ ▶ ▶ A29 調べていただけますか / 何時に会議が始まる
Could you find out / what time the meeting starts?

▶ ▶ ▶ A30 私はあまり好きではありません /
私のいまの仕事
I don't really like / my current job.

▶ ▶ ▶ A31 私は計画しています /
スペイン語を学びはじめること / 来月
I'm planning / to start learning Spanish / next month.

▶ ▶ ▶ A32 私は分かりません / ストレスへの対処の仕方
I don't know / how to deal with stress.

▶ ▶ ▶ A33 私の家は少し遠いです / 駅から
My house is a bit far / from the station.

▶ ▶ ▶ A34 私は分かりません / どの冷蔵庫を買うべき
I'm not sure / which refrigerator to buy.

▶ ▶ ▶ A35 私は読むようにしています /
少なくとも1冊の本 / ひと月に
I try to read / at least one book / a month.

Q36　きのうは筋肉痛でトレーニングできませんでした。　▷ ▷ ▷

Q37　以前はブランド物にお金をたくさん使ってました。　▷ ▷ ▷

Q38　私は健康的に長生きしたいです。　▷ ▷ ▷

Q39　アンドロイドのスマホを買うことにしました。　▷ ▷ ▷

Q40　私たちは泳いだりシュノーケリングをしたりして
過ごしました。　▷ ▷ ▷

Q41　縄跳びで5キロ痩せました。　▷ ▷ ▷

Q42　友だちにパーティに誘われました。　▷ ▷ ▷

▶▶▶ A36　私はトレーニングできませんでした / きのう /
筋肉痛のせいで

I couldn't work out / yesterday /
because of sore muscles.

▶▶▶ A37　私は以前は使っていました / たくさんのお金 /
ブランド物に

I used to spend / a lot of money / on big brands.

▶▶▶ A38　私は生きたいです / 長く健康的な人生

I want to live / a long healthy life.

▶▶▶ A39　私は買うことを決めました /
アンドロイドのスマホ

I decided to buy / an Android phone.

▶▶▶ A40　私たちは時間を過ごしました /
泳いだりシュノーケリングをして

We spent our time / swimming and snorkeling.

▶▶▶ A41　私は5キロ減らしました / 縄跳びをすることで

I lost 5 kilos / by skipping rope.

▶▶▶ A42　私の友だちは私を誘いました / パーティに

My friend invited me / to a party.

Q43 そのニュースについては何も知りません。　▶ ▶ ▶

Q44 彼は年の割に若く見える。　▶ ▶ ▶

Q45 同僚にそのアプリの使い方を教えてもらいました。　▶ ▶ ▶

Q46 ピアノの上達のために毎日練習してます。　▶ ▶ ▶

Q47 いま転職しようかと考えてます。　▶ ▶ ▶

Q48 去年、はじめてスキューバーダイビングに
行きました。　▶ ▶ ▶

Q49 先月から、ジムに通いはじめました。　▶ ▶ ▶

▶ ▶ ▶ **A43** 私は何も知りません / そのニュースについて

I don't know anything / about that news.

▶ ▶ ▶ **A44** 彼は若く見えます / 年の割に

He looks young / for his age.

▶ ▶ ▶ **A45** 同僚は私に教えました / そのアプリの使い方

My colleague showed me / how to use the app.

▶ ▶ ▶ **A46** 私はピアノを練習しています / 毎日 / 私のスキルを上達させるために

I practice the piano / every day / to improve my skills.

▶ ▶ ▶ **A47** 私は考えています / 転職することについて

I'm thinking / about changing jobs.

▶ ▶ ▶ **A48** 私はスキューバーダイビングに行きました / はじめて / 去年

I went scuba diving / for the first time / last year.

▶ ▶ ▶ **A49** 私は行きはじめました / ジムに / 先月

I started going / to the gym / last month.

具体的に話す
トレーニング

この章では、頭に浮かんだ言葉が
英語に訳せなくて困ってしまう、
「漢字熟語」の壁 を乗り越えるため、
英語の発想を身につけていきます。

2

「桜が満開って英語で何と言うの?」と考えて
フリーズしているところ

次の日本語を、英語にしてみてください。

「彼の本音が分からない。」

一見、何の難しさもない、シンプルな日本語に見えます。STEP1の「単語を並べるトレーニング」で鍛えたみなさんなら、一瞬で英語の語順に並び替えられるはずです。

（主語＋動詞）「私は分からない」
（何が?）「彼の本音が」

しかし、多くの人がここでハタっと止まります。
「本音」って、何と言うんだろう??

そして、「本音」にあたる英単語を一生懸命探そうとして、結局フリーズしてしまいます。

英語を話そうとするときに、多くの日本人が突き当たる第二の壁がこれです。すなわち、**「漢字熟語」の存在**です。
日本語の漢字熟語は、ときにとても英語にしにくいのです。
では、次のように言い換えると、どうでしょうか?

「私は、彼が本当は何を考えているのか、分からない。」

つまり、「本音」を「彼が本当は何を考えているのか」と、もっと具体的に言い換えるのです。

このように発想できれば、

I don't know what he really thinks.

と、シンプルな英語で表現することができます。

シンプルな英語で話すためには、**「英語にしやすい日本語」で発想する**必要があります。

しかし、じつはこれがとても難しいのです。

よく英語が堪能な人たちが、「英会話は中学英語で十分だ」と言います。このことが意味しているのは、中学英語で表現できるような日本語で発想ができれば、ということです。

つまり、「本音」を「彼が本当は何を考えているのか」と発想できれば、中学英語で何の問題もなく話せるようになります。

シノドス式英会話トレーニングが目指すのは、この境地にほかなりません。

STEP2では、英語にしやすい日本語で発想するためのコツを学びます。カギとなるのは、頭に浮かんだ日本語にとらわれずに、具体的に発想することです。

STEP1でも、具体的なイメージの重要性を強調しました。漢字熟語という壁は、これをさらに深めていくことで克服できます。そして、このトレーニングをさらに深めると、日本語の表現や発想から自由になって、自在に英語を話せるようになります。

例題1

「いま新しいプロジェクトについて、同僚と検討中なんです。」

「検討中」をどう英語にしますか?

　日本語の表現から自由になるために、このときの情景を具体的に
イメージしてみてください。

　たとえば、以下のような情景が思い浮かびませんか?

「同僚と一緒に、新しいプロジェクトについて話し合っている」、そ
んな情景です。

(主語・動詞)「私は話し合っています」
(何を?)「新しいプロジェクトについて」
(誰と?)「同僚と」

　このように発想できれば、

I've been talking about the new project with my colleagues.

と、シンプルな英語で表現できます。

例題2

「彼の業績は、会社で高く評価されているんですよ。」

この日本語で問題になるのは、「業績」と「評価」ですよね。
これも具体的な情景を思い浮かべてみましょう。

　会社にとても優秀な同僚がいるとします。そこで、その人の「業績が高く評価されている」と言うとき、頭に思い浮かぶ情景は何ですか?
「みんな、彼は本当にいい仕事をするな、と思っている」
　といった感じではないでしょうか。

(主語・動詞)「私たちはみな思っています」
(何を?)「彼は本当にいい仕事をする」

英語にするとこうなります。

We all think that he does a really good job

achievement(業績)やvalue(評価する)を知らなくても大丈夫です。

「この機械の仕組みが分からない。」

この日本語の文でつまずくのは「仕組み」です。多くの学習者は「仕組み」を意味する英単語を探そうとし、mechanismあたりを思いつき、自信なさげに英語をつくるか、あるいは何も思いつかずにフリーズします。

では、これも具体的にイメージしてみましょう。

ある機械を前にして、「この機械の仕組みが分からない」と思っているとき、具体的には何が分からないのでしょうか?
「この機械がどうやって動いているのか」ですよね。

「私は、この機械がどのように動いているのか、分からない。」

英語にすると、

I don't know how this machine works.

「明日、会議でプロジェクトの経過を報告します。」

この文でのつまずきポイントは「経過」です。思いつくのは、progressあたりでしょうか?

では、会議で「プロジェクトの経過」を報告している場面をイメージしてみてください。

「私たちのプロジェクトは、こんな感じで進んでます」と話している、そんな会議の情景ですよね。

「明日、私は会議で、プロジェクトがどのように進んでいるか、話します。」

これを英語にすると、

I'm going to talk about how the project is going in the meeting tomorrow.

　英語は具体性を志向する言語です。具体的に発想できればできるほど、英語を話すことは楽になっていきます。

　ポイントは、STEP1で学んだように、**「誰が、あるいは何が、何をしている」のかと考えること**。そうすればこれから見ていくように、もっと大胆に日本語から離れていくことができます。

　ここでも、例をあげて考えてみましょう。

「最近、会社の人間関係がうまくいってなくて。」

　日本語のコミュニケーションではよくある言い方ですが、これは具体的な情報をほとんど含んでいません。
「人間関係」はhuman relationsで、それがうまくいっていないということは…、などと考えては、うまくいきません。
「人間関係」とは具体的に何か？　そして、それが「うまくいっていない」というのは、具体的にどういうことなのか？

　このように掘り下げて考えていくことで、英会話はどんどん上達していきます。

　会社の人間関係がうまくいっていないというとき、少し考えるだけでも、コミュニケーション不足や、パワハラ、メンバーの意見の相違、過小評価などさまざまな事情が浮かびます。

　たとえばそれが、「同僚とのあいだで十分なコミュニケーションが行われていない」ということなのであれば、そう英語で表現するべきなのです。

この場合、「誰が、何をして」いますか?

「同僚と私は十分なコミュニケーションを取っていません。」

ですよね。
英語にすると、

My colleagues and I don't communicate enough.

そしてこれが、今回の場面で「最近、会社の人間関係がうまく行ってなくて」と言いたいときに、話すべき英語なのです。

もうひとつ、例をあげてみます。
たとえば、「彼は自己中心的だ」と言いたいとします。
みなさんなら、英語でどう言いますか?
「『自己中心的』って何と言うんだ?」と、日本語に固執しているあいだは、シンプルな英語は出てきません。

「自己中な彼」を具体的に思い浮かべてください。
あなたの周りで「自己中な人」って「誰」ですか? そして、「自己中」とは具体的に「何をする」ことですか?
「あ、私の同僚のことだ。あの人、人のことを考えないんだよね」ということであれば、He doesn't think about other people.ですし、「うちの上司だ。あの人は自分のことしか考えてない」のであれば、He only thinks of himself.です。

　英会話においては、日本語にとらわれずに、具体的に話すことが決定的に重要です。そして、このレベルで話せるようになると、たいていのことが言えるようになります。

　たとえば、**「最近ゲームにはまってるんだ」**と言いたいとします。しかし、「はまる」という日本語を、英語でどう表現したらよいかが分からない場合、みなさんはどうしますか?

　もちろん、「はまる」を意味する英語の表現はありますし、そのような表現を知っているにこしたことはありません。
　しかし、知らなければ英語を話せないとなると、知らない英語表現など無数にあるわけですから、ずっと英語を話せないことになってしまいます。

　これも具体的に考えれば解決します。
　「ゲームにはまっている」ということは、多くの時間をゲームに費やしている、ということ。これを具体的に表現すればいいのです。

　たとえば、以下のように言えるでしょう。

I play video games for two hours after dinner every day these days.

（近ごろは晩御飯のあと、毎日2時間ゲームをしています。）

このように言えば、「最近ゲームにはまってるんだ」という内容を、実質的に言っていることになります。しかも、はるかに具体的な情報が、相手に伝わります。

　英会話は、英作文ではありません。頭に浮かんだ日本語を、文字通りに翻訳する必要はないのです。

　たとえば、英会話をはじめたばかりの学習者がつまずくのが、次のような日本語を英語にしようとするときです。

「いま日本はサクラが満開なんです。」

　春に外国の人と話していると、サクラや花見が話題にあがります。そこで、「いまサクラが満開だよ」と言おうとして、あれ、「満開」って何と言うんだ？　と、フリーズするわけです。

　フリーズするのは、頭に浮かんでしまった「満開」という言葉にとらわれてしまい、離れることができないからです。
　ここでも、「満開」という英語表現を知っているほうが、もちろんいいです。しかし、知らないものは仕方がありませんし、知らなくてもコミュニケーションにまったく支障はありません。

　みなさんならどう言いますか？
　ページをめくる前に、少し考えてみてください。

たとえば、次のような情景を思い浮かべてください。

美しいサクラが咲きほこっています。

Cherry blossoms are so beautiful in Japan now.

（日本ではいまサクラがとってもきれいなんだよ。）

　こう言えばいいのです。

「サクラが満開だ」と同じような情報が、これで相手に十分に伝わります。

「満開」の英語が分からなければ、速やかに見切りをつけて、ほかの表現を探す。このようなフットワークの軽さが、実際の会話では不可欠です。

あるいは、次のような情景を思い浮かべてもいいでしょう。

We are enjoying beautiful cherry blossoms in Japan now.
（日本ではいまみんな、きれいなサクラを楽しんでるよ。）

　頭に浮かんだ日本語にとらわれずに、どんどん自由に、そして具体的に発想して、みなさんが知っている英語で表現してください。そうすれば、英会話は必ず上達していきます。

　STEP2のトレーニングに、終わりはありません。何か難しい言葉を耳にしたり、目にしたりしたとき、あるいは、英語が思いつかない表現に出会ったとき、「これを具体的に表現するにはどうすればいいだろう?」と、つねに考えるようにしてください。

練習ページ

「英語にしやすい日本語」で発想できるようになるための練習問題です。問題を見て、具体的なイメージを思い浮かべてください。

　日本語を睨みつけてそれを英語にしようとしていると、日本語の表現や発想から自由になれません。コツは動詞で考えることです。

練習問題

001	春から社会人です。	▲01	I'm going to start working this spring. [解説] 社会人 >>> 働きはじめる
002	私は電車通勤です。	▲02	I take the train to work. [解説] 電車通勤 >>> 電車に乗って仕事に行く
003	このアプリは多機能です。	▲03	This app can do a lot of things. [解説] 多機能 >>> たくさんのことができる
004	新しいプロジェクトは順調です。	▲04	The new project is going well. [解説] 順調 >>> うまく進んでいる
005	サービスが改善されました。	▲05	The service got better. [解説] 改善 >>> よりよくなる
006	トレーナーはエクササイズの指導をしてくれました。	▲06	The trainer showed me how to do the exercises. [解説] 指導 >>> やり方を教える
007	私は市場動向の調査をしています。	▲07	I'm looking into what's happening in the market. [解説] 動向 >>> 何が起こっているのか
008	彼はワインに精通している。	▲08	He knows a lot about wine. [解説] 精通 >>> 多くのことを知っている

084   *085*

コツ

　日本語の「名詞」を、英語の「動詞」を用いて表現してみましょう。たとえば、「彼女の意見」であればher opinionではなく、「彼女が考えていること」と発想してwhat she thinks。あるいは、「現状」であればthe current situationではなく、「いま起こっていること」と発想してwhat's happeningと表現する感じです。

基 本 動 詞 ペ ー ジ

　シンプルな英語で話すためには、多くの意味やニュアンスをもつ基本動詞を使いこなす必要があります。

　そこで、英会話でもっとも重要な4つの基本動詞をピックアップして、使い方を学ぶトレーニングを用意しました。

　それぞれの日本語を、基本動詞を用いてどう表現するか、考えながら英語にしてください。

　このトレーニングを通じて、それぞれの動詞の基本コンセプトを理解し、その使い方を身につけていきましょう！

練習問題

「英語にしやすい日本語」で発想して英語にしてみよう！

Q01 春から社会人です。 ▶ ▶ ▶

Q02 私は電車通勤です。 ▶ ▶ ▶

Q03 このアプリは多機能です。 ▶ ▶ ▶

Q04 新しいプロジェクトは順調です。 ▶ ▶ ▶

Q05 サービスが改善されました。 ▶ ▶ ▶

Q06 トレーナーはエクササイズの指導をしてくれました。 ▶ ▶ ▶

Q07 私は市場動向の調査をしています。 ▶ ▶ ▶

Q08 彼はワインに精通している。 ▶ ▶ ▶

▶ ▶ ▶ **A01** I'm going to start working this spring.

解説 社会人 >>> 働きはじめる

▶ ▶ ▶ **A02** I take the train to work.

解説 電車通勤 >>> 電車に乗って仕事に行く

▶ ▶ ▶ **A03** This app can do a lot of things.

解説 多機能 >>> たくさんのことができる

▶ ▶ ▶ **A04** The new project is going well.

解説 順調 >>> うまく進んでいる

▶ ▶ ▶ **A05** The service got better.

解説 改善 >>> よりよくなる

▶ ▶ ▶ **A06** The trainer showed me how to do the exercises.

解説 指導 >>> やり方を教える

▶ ▶ ▶ **A07** I'm looking into what's happening in the market.

解説 動向 >>> 何が起こっているのか

▶ ▶ ▶ **A08** He knows a lot about wine.

解説 精通 >>> 多くのことを知っている

Q09 映画の内容は知りません。 ▶ ▶ ▶

Q10 目的地はまだ決めていません。 ▶ ▶ ▶

Q11 私は事故の原因を突き止めようとしました。 ▶ ▶ ▶

Q12 その問題に対する認識が不足しています。 ▶ ▶ ▶

Q13 新しいシステムが会社に導入されました。 ▶ ▶ ▶

Q14 緊急のタスクが優先されるべきです。 ▶ ▶ ▶

Q15 私は日本経済についての展望を話しました。 ▶ ▶ ▶

Q16 そのブランドは広く認知されています。 ▶ ▶ ▶

▶ ▶ ▶ **A09** I don't know what the movie is about.

解説 映画の内容 ▶▶▶ 何についての映画なのか

▶ ▶ ▶ **A10** I haven't decided where I'm going.

解説 目的地 ▶▶▶ どこにいくか

▶ ▶ ▶ **A11** I guessed what made the accident happen.

解説 事故の原因 ▶▶▶ 何が事故を起こしたか

▶ ▶ ▶ **A12** We don't understand the problem well enough.

解説 認識不足 ▶▶▶ 十分によく理解していない

▶ ▶ ▶ **A13** The company started using a new system.

解説 導入 ▶▶▶ 使いはじめる

▶ ▶ ▶ **A14** We should do the urgent tasks first.

解説 優先 ▶▶▶ 最初にやる

▶ ▶ ▶ **A15** I talked about what would happen in the Japanese economy.

解説 展望 ▶▶▶ 何が起こるか

▶ ▶ ▶ **A16** Many people know about the brand.

解説 広い認知 ▶▶▶ 多くの人が知っている

Q17　そのレストランの評判はよいです。　　　▷ ▷ ▷

Q18　私たちは解決策を模索しています。　　　▷ ▷ ▷

Q19　これが話題の新製品です。　　　▷ ▷ ▷

Q20　節約のため、ふだんは自炊してます。　　　▷ ▷ ▷

Q21　日本への観光客が増加しています。　　　▷ ▷ ▷

Q22　先進国では晩婚化が進んでいます。　　　▷ ▷ ▷

Q23　上司に提案を却下されました。　　　▷ ▷ ▷

Q24　彼らが別れた理由は分かりません。　　　▷ ▷ ▷

▶ ▶ ▶ ▶ **A17**
Many people say good things about that restaurant.
解説 よい評判 >>> 多くの人がよいことを言っている

▶ ▶ ▶ ▶ **A18**
We are trying to find a solution.
解説 模索 >>> 探そうと努力している

▶ ▶ ▶ ▶ **A19**
Everybody's talking about this new product.
解説 話題 >>> みんなが話している

▶ ▶ ▶ ▶ **A20**
I usually cook at home to save money.
解説 自炊 >>> 家で料理する

▶ ▶ ▶ ▶ **A21**
More tourists are coming to Japan.
解説 観光客の増加 >>> より多くの観光客が来ている

▶ ▶ ▶ ▶ **A22**
People are getting married later in developed countries.
解説 晩婚化 >>> より遅く結婚するようになる

▶ ▶ ▶ ▶ **A23**
My boss said no to my idea.
解説 却下 >>> Noと言う

▶ ▶ ▶ ▶ **A24**
I don't know why they broke up.
解説 別れた理由 >>> なぜ別れたか

Q25 日本は少子化です。 ▶ ▶ ▶

Q26 経済を停滞させてはなりません。 ▶ ▶ ▶

Q27 飲酒量には気をつけたほうがいいよ。 ▶ ▶ ▶

Q28 ファッションは自己表現です。 ▶ ▶ ▶

Q29 ドラマの続きが気になります。 ▶ ▶ ▶

Q30 その会社では技術革新が進んでいます。 ▶ ▶ ▶

Q31 私たちは協力してアイデアを実現しました。 ▶ ▶ ▶

Q32 私たちは伝統を存続させなければなりません。 ▶ ▶ ▶

A25 We have fewer children in Japan.

解説 少子化 >>> より少ない子どもをもつ

A26 We have to keep the economy going.

解説 停滞させない >>> 動かし続ける

A27 You should watch how much you drink.

解説 飲酒量 >>> どのくらい飲むか

A28 The way I dress is an expression of who I am.

解説 自己 >>> 自分が誰であるか

A29 I am curious about what happens next in the show.

解説 続き >>> 次に何が起こるか

A30 The company is developing new technologies.

解説 技術革新 >>> 新しい技術を開発する

A31 We worked together to make our idea happen.

解説 協力 >>> 一緒に働く、実現 >>> 生じさせる

A32 We must keep the tradition alive.

解説 存続 >>> 生かし続ける

Have

基本的なコンセプトは「所有する」
「持つ」。「家を持っている」のよう
に具体的なモノの所有から、「頭痛
がする」のように、健康状態や感情
など、目に見えない状態を経験して
いることまで、幅広い状況を表すの
に使われます。

1   人やモノの特徴

1 彼女はきれいな目をしてるね。

➡ **彼女はきれいな目をhaveしている。**   ▶ ▶ ▶

2 モーツァルトの音楽はメロディが美しい。

➡ **モーツァルトの音楽は美しいメロディをhaveしている。**   ▶ ▶ ▶

3 そのスコッチの香りには深みがあった。

➡ **そのスコッチは深い香りをhaveしていた。**   ▶ ▶ ▶

2   家族や友人、知人との関係

1 弁護士の友だちっている?

➡ **あなたは弁護士の友だちをhaveしていますか?**   ▶ ▶ ▶

2 アメリカにたくさん友だちがいるよ。

➡ **私はアメリカにたくさんの友だちをhaveしている。**   ▶ ▶ ▶

3 うちには娘と息子ふたりがいるのよ。

➡ **私はひとりの娘とふたりの息子をhaveしている。**   ▶ ▶ ▶

▶ ▶ ▶   She has beautiful eyes.

▶ ▶ ▶   Mozart's music has beautiful melodies.

▶ ▶ ▶   The scotch had a deep aroma.

▶ ▶ ▶   Do you have a friend who is a lawyer?

▶ ▶ ▶   I have a lot of friends in the U.S.

▶ ▶ ▶   I have a daughter and two sons.

3　仕事に就いていることや、責任があること

① 親には子どもの面倒をみる義務があるんだよ。
➡ **親は子どもの面倒をみる義務をhaveしている。** ▶ ▶ ▶

② 今日はやることがたくさんあるんだ。
➡ **私は今日、たくさんのやることをhaveしている。** ▶ ▶ ▶

③ 彼女のご主人、稼ぎがいいのよ。
➡ **彼女の主人は高収入をhaveしている。** ▶ ▶ ▶

4　考えをもつことや、感情を経験すること

① 彼にはいい印象はないなあ。
➡ **私は彼のいい印象をhaveしていない。** ▶ ▶ ▶

② 大学にはよい思い出がたくさんあります。
➡ **私はたくさんの大学のよい思い出をhaveしている。** ▶ ▶ ▶

③ 上司に嫌われている気がする。
➡ **私は、上司が私を好んでいないという気分をhaveしている。** ▶ ▶ ▶

5　体験することや、影響を受けること

① 最近、なかなか寝つけないんです。
➡ **最近、私は眠るのが難しい時間をhaveしている。** ▶ ▶ ▶

② 父が交通事故に遭った！
➡ **父が交通事故をhaveした。** ▶ ▶ ▶

③ ハワイ、最高だったなあ。
➡ **私たちはハワイで最高の時間をhaveした。** ▶ ▶ ▶

▶ ▶ ▶ **Parents** have **a duty to take care of their children.**

▶ ▶ ▶ **I** have **a lot to do today.**

▶ ▶ ▶ **Her husband** has **a high salary.**

▶ ▶ ▶ **I don't** have **a good impression of him.**

▶ ▶ ▶ **I** have **a lot of good memories from college.**

▶ ▶ ▶ **I** have **a feeling that my boss doesn't like me.**

▶ ▶ ▶ **I've been** having **a hard time falling asleep lately.**

▶ ▶ ▶ **My father** had **a car accident!**

▶ ▶ ▶ **We** had **a great time in Hawaii.**

6　効果や結果を引き起こすこと

① 青には癒やしの効果があるんだよ。
➡ **青は癒やしの効果をhaveしている。** ▶ ▶ ▶

② その作家にはものすごく影響を受けた。
➡ **その作家が私に強い影響力をhaveした。** ▶ ▶ ▶

③ プーチンの軍事侵攻は悲惨な結果を招いた。
➡ **プーチンの軍事侵攻が悲惨な結果をhaveした。** ▶ ▶ ▶

7　機会や選択肢があること

① そうするしかなかった。
➡ **私は選択肢をhaveしていなかった。** ▶ ▶ ▶

② 最近、本を読む時間がない。
➡ **最近、私は本を読む時間をhaveしていない。** ▶ ▶ ▶

③ 私の仕事は、スケジュールの融通が利きます。
➡ **私は融通の利く仕事のスケジュールをhaveしている。** ▶ ▶ ▶

8　病気やけがをしていること

① 風邪をひいている。
➡ **私は風邪をhaveしている。** ▶ ▶ ▶

② 熱がある。
➡ **私は熱をhaveしている。** ▶ ▶ ▶

③ ピーナッツアレルギーです。
➡ **私はピーナッツアレルギーをhaveしている。** ▶ ▶ ▶

▶ ▶ ▶ Blue has a healing effect.

▶ ▶ ▶ The writer had a strong influence on me.

▶ ▶ ▶ Putin's military invasion had disastrous results.

▶ ▶ ▶ I didn't have a choice.

▶ ▶ ▶ I haven't had time to read books lately.

▶ ▶ ▶ I have a flexible work schedule.

▶ ▶ ▶ I have a cold.

▶ ▶ ▶ I have a fever.

▶ ▶ ▶ I have a peanut allergy.

Get

基本的なコンセプトは「得る」「取得する」。「本を手に入れる」のように物理的なモノを手に入れることから、「情報を得る」のように情報や知識を獲得すること、「病気になる」のようにある状態になることまで、幅広い状況が含まれます。

1 何かを受け取ること

① 私の家は日当たりがいいんです。

➡ 私の家は多くの日光をgetする。 ▶ ▶ ▶

② 誕生日に自転車をもらったよ。

➡ 私は誕生日に自転車をgetした。 ▶ ▶ ▶

③ 彼は私たちのプロジェクトに興味がないような印象を受けたな。

➡ 私は、彼が私たちのプロジェクトに興味がない印象をgetした。 ▶ ▶ ▶

2 何かを手に入れること

① 新しい仕事が決まりました!

➡ 私は新しい仕事をgetした。 ▶ ▶ ▶

② そのサイトに行けば情報があるよ。

➡ あなたはそのサイトから情報をgetできる。 ▶ ▶ ▶

③ 息子はいつも泣いて注意を引こうとするのよ。

➡ 息子はいつも注意をgetするために泣く。 ▶ ▶ ▶

▶ ▶ ▶   My house gets a lot of sunlight.

▶ ▶ ▶   I got a bicycle for my birthday.

▶ ▶ ▶   I got the impression that he was not interested in our project.

▶ ▶ ▶   I've got a new job!

▶ ▶ ▶   You can get information from the website.

▶ ▶ ▶   My son always cries to get attention.

3　何かを買うこと

① そのジャケット、どこで買ったの？
➡ あなたはどこでそのジャケットをgetしましたか？　▶ ▶ ▶

② ついでにコーヒー買ってきてくれるかな？
➡ ついでにコーヒーを私にgetしてくれますか？　▶ ▶ ▶

③ ふだんはアマゾンで本を買ってます
➡ 私はふだん本をアマゾンでgetしている。　▶ ▶ ▶

4　何かを持ってくること

① 彼女なら、子どもを学校に迎えに行きましたよ
➡ 彼女は学校から子どもをgetしに行った。　▶ ▶ ▶

② ちょっと飲みもの取ってくるわ
➡ 私は飲み物をgetしてくる。　▶ ▶ ▶

③ いまタオルを持ってきてあげるよ
➡ タオルをあなたにgetしてあげる。　▶ ▶ ▶

5　到着すること

① 現地に着いたら教えてね
➡ 現地にgetしたとき教えてください。　▶ ▶ ▶

② きのうの夜、パリに着きました
➡ きのうの夜、私はパリにgetした。　▶ ▶ ▶

③ 時間通りに駅に着いた
➡ 私は時間通りに駅にgetした。　▶ ▶ ▶

▶ ▶ ▶ Where did you get that jacket?

▶ ▶ ▶ Can you get me a coffee while you're at it?

▶ ▶ ▶ I usually get books from Amazon.

▶ ▶ ▶ She's gone to get the kids from school.

▶ ▶ ▶ I'm gonna get a drink.

▶ ▶ ▶ I'll get you a towel.

▶ ▶ ▶ Let me know when you get there.

▶ ▶ ▶ I got to Paris last night.

▶ ▶ ▶ I got to the station on time.

6 移動すること

1 バスはどこから乗るの?
➡ バスはどこから**get**するのですか?

▶ ▶ ▶

2 私の部屋から出てって!
➡ 私の部屋から **get** してください。

▶ ▶ ▶

3 ベッドをドアから入れられなかった。
➡ 私はドアからベッドを**get**できなかった。

▶ ▶ ▶

7 ある状態に変わること

1 年をとるにつれ、嗜好が変わってきたよ。
➡ 年をとった状態に**get**するにつれ、嗜好が変わっている。

▶ ▶ ▶

2 風邪が悪化してます。
➡ 私の風邪はより悪い状態に**get**している。

▶ ▶ ▶

3 私は寒がりです。
➡ 私は簡単に寒い状態に**get**する。

▶ ▶ ▶

8 何かを理解すること

1 言っていることは分かります。
➡ 私はあなたが言いたいことを**get**する。

▶ ▶ ▶

2 やっと要点が分かった。
➡ 私はやっと要点を**get**した。

▶ ▶ ▶

3 彼のジョークが分からなかった。
➡ 私は彼のジョークを**get**しなかった。

▶ ▶ ▶

▶ ▶ ▶   Where do we get on the bus?

▶ ▶ ▶   Get out of my room!

▶ ▶ ▶   I couldn't get the bed through the door.

▶ ▶ ▶   As I get older, my tastes change.

▶ ▶ ▶   My cold is getting worse.

▶ ▶ ▶   I get cold easily.

▶ ▶ ▶   I get what you mean.

▶ ▶ ▶   I finally got the point.

▶ ▶ ▶   I didn't get his joke.

[基 本 動 詞]

Take

基本的なコンセプトは「取る」「持っていく」。「ペンを取る」のように物理的なモノを手に取ることから、「傘を持っていく」のように、別の場所へモノや人を移動させること、さらには何かを行うのに時間がかかることも含まれます。

1   人を連れて、あるいはモノを持っていくこと

① 出かけるときは、傘を忘れないてね。

➡ **出かけるときは、傘をtakeするのを忘れないでください。**　　▶ ▶ ▶

② あとて子どもたちを英会話教室に連れていくよ。

➡ **あとで子どもたちを英会話教室にtakeする。**　　▶ ▶ ▶

③ 仕事て世界中を飛び回ってます。

➡ **私の仕事は私を世界中にtakeする。**　　▶ ▶ ▶

2   時間がかかること

① 空港まて1時間かかります。

➡ **空港に行くのに1時間をtakeする。**　　▶ ▶ ▶

② 暗さに目か慣れるのにしはらくかかった。

➡ **私の目が暗さに慣れるまでに、しばらくの時間をtakeした。**　　▶ ▶ ▶

③ 病気から回復するには、時間がかかるそうた。

➡ **病気から回復するのに、私は一定の時間をtakeするだろう。**　　▶ ▶ ▶

▶ ▶ ▶   **Remember to** take **your umbrella when you leave.**

▶ ▶ ▶   **I'll** take **the kids to English class later.**

▶ ▶ ▶   **My job** takes **me all over the world.**

▶ ▶ ▶   **It** takes **an hour to get to the airport.**

▶ ▶ ▶   **It** took **a while for my eyes to adjust to the dark.**

▶ ▶ ▶   **It'll** take **me some time to recover from the illness.**

3　受け入れたり、受け取ること

1　彼らから仕事のオファーがあれば、受けるよ。

➡ 彼らが私に仕事をオファーすれば、私はそれをtakeする。　▷ ▷ ▷

2　その政治家は賄賂を受け取った。

➡ その政治家は賄賂をtakeした。　▷ ▷ ▷

3　医者の忠告にしたがって、お酒をやめました。

➡ 私は医者の忠告をtakeし、お酒を飲むのをやめた。　▷ ▷ ▷

4　取り出したり、取り上げたりすること

1　オーブンからチキンを出しておいて。

➡ オーブンからチキンをtakeしてくれますか。　▷ ▷ ▷

2　子どもからハサミを取り上げた。

➡ 私は子どもからハサミをtakeした。　▷ ▷ ▷

3　名前がリストから消されていた。

➡ 私の名前がリストからtakeされていた。　▷ ▷ ▷

5　薬などを飲むこと

1　頭痛薬を飲んだ。

➡ 私は頭痛のための薬をtakeした。　▷ ▷ ▷

2　医者に1日2錠飲むように言われた。

➡ 医者は私に1日2錠をtakeするように言った。　▷ ▷ ▷

3　今朝、薬を飲み忘れた。

➡ 今朝、私は薬をtakeすることを忘れた。　▷ ▷ ▷

▶ ▶ ▶   If they offer me a job, I'll take it.

▶ ▶ ▶   The politician took a bribe.

▶ ▶ ▶   I took my doctor's advice and quit drinking.

▶ ▶ ▶   Can you take the chicken out of the oven?

▶ ▶ ▶   I took the scissors away from my kid.

▶ ▶ ▶   My name was taken off the list.

▶ ▶ ▶   I took a pill for my headache.

▶ ▶ ▶   The doctor told me to take two tablets a day.

▶ ▶ ▶   I forgot to take my medicine this morning.

Give

基本的なコンセプトは「与える」「贈る」。これには、「プレゼントをあげる」のように、物理的なモノを他人に手渡すことから、「情報を提供する」のように情報やアドバイスを与えることまで含まれます。

1　モノを手渡すこと

① 書類、ぼくから彼女に渡しときますよ。

➡ 私は彼女に書類をgiveする。　▷ ▷ ▷

② 本を取ってもらえますか？

➡ 本を私にgiveしてもらえますか？　▷ ▷ ▷

③ マネージャーにこのレポートを渡しておいていただけますか？

➡ マネージャーにこのレポートをgiveしていただけますか。　▷ ▷ ▷

2　モノをプレゼントすること

① 結婚記念日は妻にネックレスをプレゼントしたよ。

➡ 私は結婚記念日に妻にネックレスをgiveした。　▷ ▷ ▷

② バレンタインデーには彼女に花を贈るつもりだよ。

➡ 私はバレンタインデーに彼女に花をgiveするつもりだ。　▷ ▷ ▷

③ 誕生日は彼氏から何をもらったの？

➡ 誕生日に彼氏はあなたに何をgiveしましたか？　▷ ▷ ▷

▷ ▷ ▷ I'll give her the documents.

▷ ▷ ▷ Can you give me the book?

▷ ▷ ▷ Could you give this report to the manager?

▷ ▷ ▷ I gave my wife a necklace for our wedding anniversary.

▷ ▷ ▷ I'm going to give my girlfriend flowers on Valentine's Day.

▷ ▷ ▷ What did your boyfriend give you for your birthday?

① そのジムは無料体験できるよ。

➡ そのジムは無料体験をgiveしている。   ▶ ▶ ▶

② そのNPOはホームレスの支援を行っている。

➡ そのNPOはホームレスの人びとに援助をgiveしている。   ▶ ▶ ▶

③ コミュニティセンターは住民に、無料で料理教室を提供しています。

➡ コミュニティセンターは住民に無料の料理教室をgiveしている。   ▶ ▶ ▶

4   機会や時間などを与えること

① 研修プログラムに参加する機会が彼に与えられるべきだ。

➡ 私たちは彼に、研修プログラムに参加する機会をgiveすべきだ。   ▶ ▶ ▶

② 私たちのオファーについて、1日考えてみてください。

➡ 私はあなたに、私たちのオファーについて考えるための1日をgive
する。   ▶ ▶ ▶

③ このファイルにアクセスする許可をいただけますか?

➡ このファイルにアクセスする許可を私にgiveしていただけますか?   ▶ ▶ ▶

5   情報やアドバイスを与えること

① 彼女は、私のキャリアについて助言してくれた。

➡ 彼女は私に、私のキャリアについての助言をgiveした。   ▶ ▶ ▶

② 英語力を上げるためのコツを教えてあげるよ。

➡ 私はあなたに、あなたの英語力を向上させるためのいくつかの
コツをgiveする。   ▶ ▶ ▶

③ 駅への行き方を教えてもらえますか?

➡ 私に駅への道順をgiveしてくれますか?   ▶ ▶ ▶

▶ ▶ ▶ The gym gives free trials.

▶ ▶ ▶ The NPO gives help to homeless people.

▶ ▶ ▶ The community center gives free cooking classes to residents.

▶ ▶ ▶ We should give him the opportunity to participate in the training program.

▶ ▶ ▶ I will give you a day to think about our offer.

▶ ▶ ▶ Could you give me permission to access this file?

▶ ▶ ▶ She gave me some advice about my career.

▶ ▶ ▶ I'll give you some tips on how to improve your English.

▶ ▶ ▶ Can you give me directions to the station?

話を組み立てる
トレーニング

この章では、次に何を言えばいいか分からず
気まずい沈黙が訪れる、
「話の組み立て方」の壁 を乗り越えるため、
体験と意見のフォーマットを身につけていきます。

もう自分の話の番は終わっているはずなのに、
続きを待たれて困っているところ

　たとえば、夏休み明け、同僚や友人に「夏休みはどうでした?」と聞かれたら、みなさんならどのように答えますか?

　だいたい以下のような感じで、会話が進むのではないでしょうか?

A「夏休みはどこか行きました?」
B「いやー、奄美大島に行きましたよ。」
A「お、奄美大島ですか、いいですね〜。」
B「いや、ほんとよかったですよ。海がきれいで。」

　しばしば言われるように、日本語では、相手との共感や調和が重視されるため、間接的な表現を用いたり、互いに相手の意向を汲もうとしたりします。

　そのため、日本語のコミュニケーションは、上のように、フワッとしたものになりがちです。

　それに対して、カナダの友人に、How was your vacation?と聞いたら、次のような答えが返ってきました。

It was great. I went to Hawaii with my family. The weather was super nice and it's beautiful everywhere. I went snorkeling for the first time and I saw a lot of pretty fishes and sea turtles. I would definitely go back again!

日本語にすると以下のような感じです。

「とっても楽しかったよ!　家族でハワイに行ったんだけど、天気が最高によくて、どこもかしこもきれいでさ。はじめてシュノーケリングをしたんだけど、きれいな魚がたくさんいて、ウミガメも見たよ。絶対また行きたい!」

　英語では、このカナダの友人の答えのように、直接的で明確な伝達が目指されます。情報は明瞭に、そして多くの場合、詳細に提供され、相手との誤解を防ぐために、はっきりとした言い回しが選ばれます。

　この英語を見て、みなさんはどう思いましたか?
「いやー、奄美大島に行きましたよ」のようなあっさりとした返事とは、だいぶ違いますよね。
　日本語ではなかなか、こんな風には話さない、と思いませんでしたか?
　なかなか話さないということは、意識的に身につけないと、英語でこのように話せるようにならないということです。
　そしてこれが、日本人が英語を話すときに突き当たる第三の壁です。

　STEP3では、英語の「話の組み立て方」を学び、自分の「体験」を伝え、「意見」を言うトレーニングを行います。これにより、スムーズに英語でコミュニケーションがとれるようになります。

　よく日本は、「ハイコンテクスト」な文化だと言われます。簡単にいうと、**「空気を読む文化」**だということです。

　人びとのあいだで価値観や考え方などの前提が共有されているため、コミュニケーションする際に言葉を尽くさずとも、なんとなく言いたいことが伝わります。

　このような文化では、互いに相手の意図を察しあうので、コミュニケーションの多くの部分が「暗黙の了解」によって成り立ちます。

　それに対して、アメリカやドイツ、スウェーデンなどは、「ローコンテクスト」な文化だとされます。これは、**「言葉で伝えあう文化」**だということです。

　「ローコンテクスト」な文化では、コミュニケーションの際に、文脈や価値観を共有していることが前提とされません。

　そのため、意見や気持ちを伝えたければ、言葉できちんと表現することが求められます。こうした文化で論理的な説明やディベートのスキルが重視されるのは、このためです。

　もちろん、文化というのはさまざまな要素からなりますから、きっぱりと分けられるものではありません。欧米の人たちも、もちろん空気は読みますし、もってまわった言い方もします。

　しかし相対的に見て、日本がハイコンテクストな文化で、欧米の国々がローコンテクストな文化であることは、明らかだと思います。

この「空気を読む文化」の日本語と、「言葉で伝えあう文化」の英語との違いは、端的に、**コミュニケーションにおける「言葉の情報量」の差としてあらわれます。**

　英語では、互いの意図を察しあう暗黙の了解ではなく、言葉による相互理解を目指すわけですから、必然的に言葉の情報量が必要になります。そうなると当然、**話の組み立て方そのものが違ってきます。**このことは、冒頭であげたカナダの友人の英語からも一目瞭然でしょう。

英語の話し方には基本的なフォーマットがある

　自分ではもう話し終えたつもりなのに、相手が話の続きをまっている。外国の人と英語で話したことのある人は、こうした経験をしたことがあると思います。

　このことが意味しているのは、**英語のコミュニケーションにおいて、何らかの「期待」が存在している**ということです。その期待が求めるものを満たしていないから、相手はまだ話が終わったと思わないのです。

　最後にあらわれる「英会話の壁」は、この話し方の違いです。
　STEP1と2のトレーニングで、英文をつくれるようになっても、それだけでは英語を話せるようにはなりません。
　効果的なコミュニケーションのスキルを手に入れるためには、この最後の壁を乗り越える必要があります。そして、その近道は、基本的な「話の組み立て方」のフォーマットを身につけることです。

英語ネイティブ同士の会話は、自由なスタイルでスピーディーに行われますが、英語を学ぶ非ネイティブが、いきなりそのように話そうとするのは現実的ではありません。

　まずは、自分の経験を伝えたり、意見を言うためのフォーマットに従って話すトレーニングをするべきです。一定のパターンを使って話すことで、基本的な会話能力を身につけることができ、次第にもっとナチュラルな会話に挑戦することが可能になります。
　まずは基本からはじめ、徐々に会話のスキルを高めていく。これが、英会話上達のカギとなります。

　また、このふたつのフォーマットは、たんなる型というだけにとどまらず、英会話の上達という観点から見て、きわめて重要です。
　これまで見てきたように、英語を流暢に話すコツは、**具体的に話すこと**です。そして、体験を話すためには、**具体的な描写を行う必要**がありますが、これが英会話において決定的に重要なスキルである「描写力」の養成につながります。
　また、意見を言うためには**ロジックが必要**となりますが、そこで鍛えられるロジカルな思考は、明晰さを求められる英語において、強力なツールとなります。
　描写力とロジカルな思考を身につけることが、最後のトレーニングの目標となります。

「体験」のフォーマットからはじめましょう。

　冒頭であげたカナダの友人の、休暇の「体験」を伝える英語がどのようなフォーマットにしたがっているか、見てみましょう。

　彼女の「ストーリー」は、以下の3つのパートからなっています。

　❶ **体験の概要**。実際に行ったことや出来事を簡潔に述べます。

　　I went to Hawaii with my family.

　❷ **詳細の描写**。より詳しい体験の描写を具体的に行います。

　　The weather was super nice and it's beautiful everywhere. I went snorkeling for the first time and I saw a lot of pretty fishes and sea turtles.

　❸ **主観的な感想**。個人的な感想や思いを表現します。

　　I would definitely go back again!

　日本人の英語学習者は、しばしば❶の「体験の概要」だけを述べて終わってしまいます。

　たとえば、What did you do yesterday?（きのうは何してたの?）と聞かれて、I went to Yokohama.（横浜に行ったよ）で終わってしまう感じです。

　日本人同士でしたら、「横浜かあ、いいねー」とか、「買い物?」のような感じで話が進みます。

日本語のコミュニケーションは、「共感」を目的に行われるため、相手が勝手に意を汲んでくれるのです。

　それに対して英語では、**「情報の共有」が重要**なので、❷の「詳細の描写」が厚みを増します。

　まずは、シンプルな会話例からはじめましょう。最初は各パートを1文ずつ言うことを目標にします。

　When did you travel abroad for the first time?（はじめて海外旅行に行ったのはいつ?）

　と聞かれたとします。

　この場合、以下のようにストーリーを組み立てます。

❶ I went to Austria over 10 years ago for my honeymoon.
　〈体験の概要〉

❷ We had a great time going to a classical music concert in Vienna.
　〈詳細の描写〉

❸ I definitely want to revisit Austria someday. 〈主観的な感想〉

日本語なら、以下のように話す感じです。

❶「10年以上前に、新婚旅行でオーストリアに行きました。」

❷「ウィーンでクラシック音楽のコンサートに行って、とても楽しい時間を過ごしました。」

❸「いつか絶対にオーストリアにまた行きたいです。」

最初に、「何をしたのか」を話します（体験の概要）。ついで、その体験の内容をより具体的に話します（詳細の描写）。ここでのポイントは「ヴィジュアル化」です。

　どういうことか説明しましょう。
　「10年以上前に、新婚旅行でオーストリアに行きました」と言われたら、「へー、オーストリアに行ったのか」くらいに思いますよね。
　次に、「ウィーンでクラシック音楽のコンサートに行って、とても楽しい時間を過ごしました」と言われると、ウィーンでクラシック音楽のコンサートを聴いている様子が頭に浮かびますよね。

　ここがポイントです。
　「詳細の描写」のパートでは、話し相手の頭のなかに、具体的な映像が浮かぶように話をしてください。同じ情景を共有するのが、このパートの肝心なところです。

　そして最後に、その体験について、自分がどう感じたのか、主観的な思いを話します（主観的な感想）。
　ここもとても重要なパートです。聞き手は、話し手の体験をイメージしながら、そこで話し手が感じた主観的な思いに共感するからです。

　「体験」「詳細」そして「感想」。この3つのパートに当てはめて、ストーリーを組み立ててください。

感じをつかむために、もうひとつ会話例をつくってみます。

1 I went camping with my friends from college. 〈体験の概要〉

2 We went fishing in the river, and grilled the fish and ate it . 〈詳細の描写〉

3 It was a really exciting and unforgettable experience. 〈主観的な感想〉

ここでもまず、「体験の概要」が話されています。「大学の友人とキャンプに行ったんですよ」と聞くと、「へー、そうなんだ」というくらいの感想をもちます。

ついで、「みんなで川で釣りをして、魚を焼いて食べたんです」と「詳細の描写」が行われると、聞き手の頭のなかに、川釣りをして釣った魚を焼いて食べている様子がヴィジュアルとして浮かびます。よりストーリーが生き生きとします。

そして最後に、「ほんとに盛り上がって、忘れられない体験になりましたよ」と「主観的な感想」が語られると、聞き手は話し手の喜びに共感を覚えるわけです。

これが実際の会話だと以下のようになります。

How was your weekend?（週末はどうだった?）

It was great! I went camping with my friends from college. We went fishing in the river, and grilled the fish and ate it. It was a really exciting and unforgettable experience.

How about you? How was your weekend?"

（よかったよ!　大学の友だちとキャンプに行って、川で釣りをしてさ。釣った魚を焼いて食べたんだ。ほんとに盛り上がって、忘れがたい体験になったよ。きみの週末はどうだったの?）

いかがでしょうか?

日本語のコミュニケーションに慣れていると、いきなり「ここまで話すのか!」という感想をもつ方が多いのではないでしょうか?

そう、ここまで話してください。むしろ、カフェでおしゃべりしているときなどは、英語ネイティブは、もっとずっと話したりもします。

また、英語ネイティブにかぎらず、いろいろな国の人たちと話していると、世界ではこれが普通なのです。それなのに、質問に対して日本人がひとつの文章しか答えなければ、相手は違和感を覚えますよね。

相手が話の続きをまっていて、きまずい間が生じるのはこのためです。

また、ひとつの文章でしか答えないと、「この人は私と話したくないんだな」というメッセージとして伝わってしまう可能性があります。

　英語でのコミュニケーションは、双方の参加と協力によって成り立ちます。双方が自分の意見や体験を積極的に共有し、ともに会話をつくっていくという姿勢をもつ必要があります。

　質問にはしっかりとした回答をし、自分の考えや経験を積極的に話すことが望まれます。そのため、質問に対して一言だけしか返さないと、興味がないと思われてしまうのです。

「意見」を言うためのフォーマットで「ロジック」を身につける

　つぎに、「意見」のフォーマットを見てみましょう。

　同じカナダの友人に、What's your favorite season?（好きな季節は?）と聞いてみました。

　以下が彼女の回答です。

I prefer fall. It's very festive. I love getting ready for Thanksgiving, drinking pumpkin spice latte and putting up Halloween decollations.

　彼女の意見は、以下の3つのパートからなっています。

❶ **主張**。自分の主張を明確に述べます。

　I prefer fall.（私は秋が好きです。）

❷ **理由**。その主張の理由を説明します。

　It's very festive.（お祭り気分が味わえます。）

❸ **具体例**。具体的な例や証拠をあげて理由を裏づけます。

I love getting ready for Thanksgiving, drinking pumpkin spice latte and putting up Halloween decollations.
（サンクスギビングの準備をしたり、パンプキンスパイスラテを飲んだり、ハロウィンの飾りつけをしたりするのが大好きなんです。）

　以上が、意見を言うフォーマットです。

　ここでとくに気をつけてほしいのは、まず「主張」を明確にし、ついでその「理由」を述べることです。

　というのも、「日本語モード」のコミュニケーションでは、通常は意見をこのように組み立てないからです。

　まず、日本人は会話において、自分の主張を最初に明確に言うことをあまりしません。より重要度の低い周辺的な情報から話しはじめます。

　英語では、質問されたり、意見を求められたりしたら、まずは自分の主張を端的に答えるようにしてください。

　ただ、これは少しトレーニングをすればできるようになります。

　日本人学習者が次につまずくのが、理由のパートです。

　たとえば、What's your favorite fruit?（好きなフルーツは?）と質問されて、I like apples.と答えたとします。

　そこで、Why?と重ねて聞かれると、「えっと…」と必ずなります。

　そう、日本語のコミュニケーションでは、理由を言う習慣がないのです。

ここでもネイティブはI like apples.のあとに、理由が続くことを期待しているので、「あれ?」という反応になるわけです。
「意見」を言うためのフォーマットを身につけるためには、理由を言う習慣をつける必要があります。ふだんから、いちいち理由をつけるクセをつけるようにしてください。そうしないと、なかなか理由を言えるようになりません。

　ではこのフォーマットに従って、3文で意見を述べてみましょう。
　❶ I like apples.〈主張〉
　❷ They are sweet and juicy.〈理由〉
　❸ I eat them every day.〈具体例〉

「私はリンゴが好き」というのが「主張」で、「リンゴは甘くてジューシーだ」というのがその「理由」です。そして、「私は毎日リンゴを食べている」というのが「具体例」となります。

　実際の英語では、以下のようなやり取りになります。

What's your favorite fruit?（好きなフルーツってなに?）

　I like apples. They are sweet and juicy. I eat them every day. How about you? What's your favorite fruit?
（リンゴが好きだね。リンゴは甘くてジューシーだよ。毎日食べてるよ。きみの好きなフルーツは?）

以下にいくつか、意見のサンプルを日本語で作成します。

主張 「私は自転車に乗るのが好きです。」
理由 「自転車は健康と環境によいからです。」
具体例 「私は毎日、自転車で会社に通っています。」

主張 「そのレストランは予約したほうがいいですよ。」
理由 「そのレストランはいつも混んでいます。」
具体例 「先週末、私は予約をしなかったため、そのレストランに入れませんでした。」

主張 「私は外国語を学ぶことは重要だと思います。」
理由 「外国語を学ぶことで、多くの人びとと話せるようになるからです。」
具体例 「私は英語を学んだので、今ではオーストラリアの友だちと話すことができます。」

主張 「定期的な運動は健康によいです。」
理由 「定期的な運動はメンタルヘルスを向上させるからです。」
具体例 「多くの研究が、定期的な運動によってうつ病の症状が改善された例を報告しています。」

主張 「私は、政府がシングルマザーを支援すべきだと思います。」
理由 「多くのシングルマザーの家庭が生活に困っているからです。」
具体例 「調査によると、シングルマザー家庭のおよそ半分が相対的な貧困の生活水準です。」

最初の自転車の話と、最後のシングルマザーの話は、フォーマットにおいてはまったく一緒です。ただ、文章が違うだけです。

　つまり、「意見」を言うためのフォーマットを身につければ、このようにさまざまなことをロジカルに言えるようになるのです。

英語を翻訳したような日本語でアウトプットする

「話を組み立てる」ためのトレーニングを行うにあたって、ひとつ注意事項があります。

　私たちはふだん日本語を話すとき、次のような感じで話します。

「きのう道を歩いてたら、すごくかわいいイヌを見かけて、で、近づこうとしたら逃げられてさ。」

　主語や目的語の省略など、ナチュラルな日本語はこのように混沌としています。英語の場合も口語ではある程度混沌とはしますが、ここまでにはなりません。

　体験も意見も、実際に英語を話そうとすると、慣れ親しんだ「日本語モード」の干渉がはじまり、支離滅裂になりがちです。

　では、「日本語モード」をどう手なずけて、「英語モード」と両立させればよいのでしょうか?

　答えは、英語にしやすい日本語でアウトプットすることです。

　具体的には、次のような日本語です。

「きのう、私は道を歩いていました。私はとてもかわいいイヌを見ました。私はそのイヌに近づこうとしました。しかし、そのイヌは逃げました。」

日本人の感覚からは、「なんかぶつぶつ文章が並んでるな」という印象をもつと思いますが、しかし、これが「英語モード」の流儀なのです。

英語は基本的に、**ひとつの情報でひとつの文章をつくる、という原則**があります。

I was walking down the street yesterday.
I saw a really cute dog.
I tried to get closer to the dog.
It ran away.

上の英文からも分かるように、ひとつの情報というのは、ひとつの「主語＋動詞」のことです。

このひとつの「主語＋動詞」をもつ文章を、ぶつぶつとつなげていく。そうしてできあがるのが、以下のような英語です。

I was walking down the street yesterday, and I saw a really cute dog. I tried to get closer to the dog, but it ran away.

シンプルな英語の文章を1文ずつ、ぶつぶつとつなげていく、という感覚をもって、「話を組み立てる」ためのトレーニングを行うようにしてください。

シノドス式英会話 STEP③ のトレーニング方法

次のページから、話を組み立てるトレーニングを用意しています。

［ 体 験 ］ 例 題 ペ ー ジ

　日本語を声に出して読み、頭にイメージを浮かべ、それを英語にしてください。まず日本語を1文言って、そのあとイメージをもとにその英語を言う、という手順でストーリーを組み立てましょう。

　要領が分かったら、自分でも毎日ひとつ「体験」を、声に出して話してください。

━━ コツ ━━

　急いで話そうとする必要はありません。自分の頭のなかのイメージと、自分が口にしている英語を照らし合わせ、確認しながら、ゆっくりと自分に言い聞かせるように話してください。毎日ひとつ、3か月続ければ、必ず「体験」を話せるようになります。

［意 見］例題ページ

　ここでも、日本語を読む→頭にイメージを浮かべる→イメージを英語にする、という手順で意見を組み立ててください。

　要領が分かったら、自分でも毎日ひとつ「意見」を、声に出して話してみましょう。

コツ

　具体的なイメージをもちながら、ゆっくりと行うようにしてください。自分が考えていることを、英語に乗せていく感覚で、自分に言い聞かせるように、ゆっくりと話してください。こちらも、3か月も続ければ、たいていのことは言えるようになるはずです。

131

体験
1

·· How was your day?

体験
1

私はリラックスした
1日を過ごしました。
私は公園へ行きました。

▶ ▶ ▶

詳細
2

鳥がさえずっていました。

▶ ▶ ▶

感想
3

私はよい時間を過ごしました。

▶ ▶ ▶

POINT

　How is 〜?やHow was 〜?は、現在の状態や感情、状況について聞いたり、過去の出来事や経験について聞いたりするのに、とても便利な表現です。

　How is your new job?（新しい仕事はどうですか?）

　How was the movie last night?（昨夜の映画はどうでしたか?）

　How was your meeting with the client?

　（クライアントとの会議はどうでしたか?）

　などのように使われます。

今日はどんな1日でしたか？

▷ ▷ ▷ 1

体験
I had a relaxing day.
I went to the park.

▷ ▷ ▷ 2

詳細
There were birds singing.

▷ ▷ ▷ 3

感想
I had a good time.

A：How was your day?

B：I had a relaxing day. I went to the park ①and there were birds singing. ②I had a good time. ③

(次に言われそうなこと)

A：That sounds nice. I had a busy day at work. I also want to do something relaxing.

（いいですね。ぼくも仕事で忙しかったから、何かリラックスできることをしたいです。）

STEP 3 話を組み立てるトレーニング

133

Did you do anything interesting today?

体験

1 私はオフィスの近くの
新しいコーヒーショップに
行きました。

▶ ▶ ▶ ▶

詳細

2 それは居心地がいいところで、
淹れたてのコーヒーの香りが
素晴らしかったです。

▶ ▶ ▶ ▶

感想

3 私はそれを楽しみました。
私は近いうちにまた行くと
思います。

▶ ▶ ▶ ▶

POINT

　英会話において、とても重宝する動詞のひとつがenjoyです。アクティビティや食事、経験や人との交流など、何かを楽しんだり、喜びを感じたり、あるいは何かをして満足したときなど、ポジティブな感情を伝えるために幅広く使うことができます。

We enjoyed our vacation in Hawaii.（ハワイでの休暇を楽しみました。）
I enjoy playing tennis on weekends.（週末はテニスを楽しんでいます。）
Did you enjoy the movie?"（映画は楽しみましたか?）
などのように使われます。

今日は何か面白いことありましたか？

▶ ▶ ▶ **1**
体験
I visited a new coffee shop near my office.

▶ ▶ ▶ **2**
詳細
It's a cozy place and the smell of
fresh coffee there was amazing.

▶ ▶ ▶ **3**
感想
I enjoyed it, and I think I will go back
again soon.

STEP 3 話を組み立てるトレーニング

A : Did you do anything interesting today?

B : I visited a new coffee shop near my office. It's a cozy place ①
and the smell of fresh coffee there was amazing. ②
I enjoyed it, and I think I will go back again soon. ③

次に言われそうなこと

A : Which coffee shop is this? I want to go too.
（どこのコーヒーショップ？　私も行ってみたいです。）

How was your weekend?

体験

1 よかったです。
私はハイキングに行きました。　▷ ▷ ▷

詳細

2 天気は晴れていて、
景色は美しかったです。　▷ ▷ ▷

感想

3 とても楽しかったです。　▷ ▷ ▷

POINT

　体験をシェアするときは、具体的に描写することが大切です。その
ため、さまざまな表現をストックしておくと重宝します。

The flowers were very colorful.（花はとてもカラフルでした。）

The beach was quiet.（ビーチは静かでした。）

The lake was calm.（湖は穏やかでした。）

The scenery was breathtaking.（景色は息をのむほどきれいでした。）

The water was crystal clear.（海・川はとても澄んでいました。）

The atmosphere was relaxing.（リラックスした雰囲気でした。）

などがよく使われます。

週末はいかがでしたか？

▶ ▶ ▶ **1** 体験
It was great. I went hiking.

▶ ▶ ▶ **2** 詳細
**The weather was sunny,
and the view was beautiful.**

▶ ▶ ▶ **3** 感想
I had a lot of fun.

A : How was your weekend?

B : It was great. I went hiking.　The weather was sunny, and the
　　①
view was beautiful.　I had a lot of fun.
　　　　　　　　　②　　　　　　　　　③

次に言われそうなこと

A : Yeah, the weather was super nice. Where did you go hiking?

（ええ、天気がとてもよかったですね。どこにハイキングに行っ
たの?）

Have you read any good books lately?

体験

1

**私は先週、
冒険小説を読みました。** ▶ ▶ ▶

詳細

2

**それは失われた秘宝を探す
少年の話でした。** ▶ ▶ ▶

感想

3

**それは本当に
エキサイティングで、
私はそれを楽しみました。** ▶ ▶ ▶

POINT

ここでは映画や本を形容する表現を学びましょう。

The book was really interesting.（興味深い）

The movie was very funny.（笑えて面白い）

I found the film quite boring.（退屈だ）

The ending of the novel was really sad.（悲しい）

That horror movie was too scary for me.（怖い）

It was a romantic film.（ロマンチックだ）

The performance was amazing.（とても素晴らしい）

The action scenes were really cool.（かっこいい）

The plot was a bit weird .（変わった）などです。

最近、面白い本を読みましたか?

▶ ▶ ▶ **1**
体験
I read an adventure book last week.

▶ ▶ ▶ **2**
詳細
It was about a boy who tried to find lost treasure.

▶ ▶ ▶ **3**
感想
It was really exciting and I enjoyed it.

STEP
3
話を組み立てるトレーニング

A : Have you read any good books lately?

B : I read an adventure book last week. ❶

It was about a boy who tried to find lost treasure. ❷

It was really exciting and I enjoyed it. ❸

（ 次に言われそうなこと ）

A : That sounds interesting. What's the name of the book?

I'll add it to my list.

（面白そうですね。なんというタイトルですか？　読書リストに追加したいです。）

Have you seen any interesting movies lately?

体験

1 私は最近、ミステリー映画を
見ました。
それは素晴らしかったです。 ▶ ▶ ▶

詳細

2 ストーリーには多くの
どんでん返しがありました。
私はつぎに何が起こるか、
推測できませんでした。 ▶ ▶ ▶

感想

3 それは本当に面白かったです。
今年見たなかで、最高の映画の
ひとつだと思います。 ▶ ▶ ▶

POINT

本や映画について、もう一歩踏み込んだ評価をしてみましょう。

The ending was surprising.（結末は驚きだった。）

The plot was complex.（プロットが複雑だった。）

The storyline was straightforward.（ストーリーは分かりやすかった。）

The writing style was unique.（文体が独特だった。）

The acting was superb.（演技は素晴らしかった。）

It was visually stunning.（映像がすごかった。）

The characters were well-developed.（キャラクターがよく描かれていた。）

It was full of suspense.（はらはらドキドキする展開だった。）

などがあります。

最近、面白い映画を見ましたか?

▶ ▶ ▶ **1**
I recently seen a mystery movie.
It was great.

詳細

▶ ▶ ▶ **2**
The story had many twists and turns.
I couldn't guess what was going to
happen next.

感想

▶ ▶ ▶ **3**
It was really interesting. I think it's one of
the best movies I've seen this year.

A : Have you seen any interesting movies lately?

B : I recently seen a mystery movie. It was great. ——❶ The story
had many twists and turns. I couldn't guess what was going
to happen next. ——❷ It was really interesting. I think it's one
of the best movies I've seen this year. ——❸

次に言われそうなこと

A : Wow, it sounds amazing. Is it scary?

If it's not, I want to see it too!

(わあ、それはすごく面白そうだね。怖いですか?
怖くなければ私も見てみたいです!)

What do you do in your free time?

体験
1
時間があるときは、
私は美術館に行くのが
好きです。

▶ ▶ ▶

詳細
2
私はとくに印象派の絵を
見るのを楽しんでいます。

▶ ▶ ▶

感想
3
それは日常から逃れるのに
最高の方法です。

▶ ▶ ▶

POINT

　What do you do in your free time?という質問は、新しい人と出会ったときや、知り合いとの関係を深めるのに、とてもよい質問です。日本語の感覚では、「趣味って何ですか?」という感じに近いです。この質問によって、相手の興味や趣味について知ることができ、共通の興味や趣味があると分かった場合、会話がスムーズに展開し、関係を深めるよいきっかけとなります。この質問をされたらどう答えるか、いくつかのパターンを準備しておくと、大変重宝しますよ。

時間があるときは何をしていますか？

▶ ▶ ▶ **1**　体験
In my free time, I like to go to art museums.

▶ ▶ ▶ **2**　詳細
I especially enjoy looking at impressionist paintings.

▶ ▶ ▶ **3**　感想
It's a great way to escape from the daily routine.

S
T
E
P
3
話を組み立てるトレーニング

A：What do you do in your free time?

B：In my free time, I like to go to art museums. ① I especially enjoy looking at impressionist paintings. ② It's a great way to escape from the daily routine. ③

(次に言われそうなこと)

A：I also love going to art museums. Which impressionist painters do you like?

（ぼくも美術館に行くのは大好きです。印象派の画家だと誰が好きですか?）

意見
1

What kind of food do you like?

主張
1
私はイタリア料理が好きです。 ▶ ▶ ▶

理由
2
それはおいしいです。 ▶ ▶ ▶

具体例
3
私はピザとパスタが
大好きです。 ▶ ▶ ▶

POINT

この質問も、会話のよいきっかけとなります。

典型的な答え方を身につけましょう。

I love Italian cuisine, especially pasta.

（イタリア料理、とくにパスタが大好きです。）

I'm a big fan of Japanese food, like *sushi* and *ramen*.

（寿司やラーメンなどの日本食が大好きです。）

I prefer healthy options, like salads and smoothies.

（サラダやスムージーのようなヘルシーなものが好みです。）

質問文のfoodの代わりに、booksやmovies、musicなどを入れて、好きな本や映画、音楽の話をしてみましょう。

どんな食べ物が好きですか?

▶ ▶ ▶ **1** 主張
I like Italian food.

▶ ▶ ▶ **2** 理由
It's tasty.

▶ ▶ ▶ **3** 具体例
I love pizza and pasta.

A : What kind of food do you like?

B : I like Italian food, ① it's tasty. ②

I love pizza and pasta. ③

（次に言われそうなこと）

A : Italian food is always great. Italian food in Italy is amazing.

Have you ever been?

（イタリアンはいつ食べてもおいしいですよね。イタリアで食べ
るイタリアンは格別です。イタリアには行ったことありますか?）

What is your favorite season?

1 主張
私は春が大好きです。 ▶ ▶ ▶

2 理由
**天気が暖かくなり、
花が咲きはじめます。** ▶ ▶ ▶

3 具体例
**街のいたるところに花を見ると、
私は幸せな気分になります。** ▶ ▶ ▶

POINT

季節についての便利な英語表現を紹介します。

This year, spring seems to have come early.
（今年は春が早く来たようです。）

Spring allergies are the worst. （春のアレルギーは最悪です。）

I can't wait for summer to come! （夏が来るのがまち遠しい！）

I love how the leaves change colors in autumn.
（秋に葉が色づくのが大好きです。）

The first snow of the year is always exciting.
（初雪はいつもワクワクします。）

好きな季節はいつですか？

▶ ▶ ▶ **1** 主張
I love spring.

▶ ▶ ▶ **2** 理由
The weather gets warmer and flowers start to bloom.

▶ ▶ ▶ **3** 具体例
Seeing flowers all over the city makes me feel happy.

STEP 3 話を組み立てるトレーニング

A : What is your favorite season?

B : I love spring. The weather gets warmer and flowers start to bloom. Seeing flowers all over the city makes me feel happy.

次に言われそうなこと

A : Yeah, spring is lovely. Do you do any gardening yourself?
（春はいいですよね。ガーデニングをしたりしますか?）

Do you know any good tourist spots in Tokyo?

1 主張
私は浅草をオススメします。　▶ ▶ ▶

2 理由
それは本当に魅力的なエリアです。それは歴史と文化にあふれています。　▶ ▶ ▶

3 具体例
私は有名な浅草寺や伝統的な仲見世通りを訪れることをオススメします。　▶ ▶ ▶

POINT

何かを勧めるときに便利な表現を学びましょう。

You should definitely check it out.（絶対にチェックすべきですよ。）

I think you would really enjoy it.（きっと楽しめると思いますよ。）

It's worth watching/visiting.（見る／訪れる価値がありますよ。）

I highly recommend it.（強くお勧めします）

If you like X, you'll love Y.（Xが好きなら、Yも気に入りますよ。）

相手のお勧めには、次のように答えましょう。

That sounds interesting! I'll definitely give it a try.

（面白そうですね！　ぜひ試してみます。）

東京でオススメの観光スポットは
ありますか?

▷ ▷ ▷ **1**
主張
I'd recommend Asakusa.
（I would）

▷ ▷ ▷ **2**
理由
It's a really charming area. It's full of history and culture.

▷ ▷ ▷ **3**
具体例
I recommend visiting the famous Senso-Temple and the traditional Nakamise shopping street.

A：Do you know any good tourist spots in Tokyo?

B：I'd recommend Asakusa. ➊ It's a really charming area. It's full of history and culture. ➋ I recommend visiting the famous Senso-Temple and the traditional Nakamise shopping street. ➌

〔 次に言われそうなこと 〕

A：Sounds great! Are there any restaurants you would recommend around there?

（いいですね!　オススメのレストランはありますか?）

•• What's your favorite TV series?

主張

1 『マーベラス・ミセス・メイゼル』が
私のお気に入りのひとつです。 ▶ ▶ ▶

理由

2 それは本当に**面白くて**、
演技が**素晴らしい**です。 ▶ ▶ ▶

具体例

3 このドラマは**1950年代**が
舞台で、コメディアンに
なろうとする**女性の話**です。 ▶ ▶ ▶
それは**見る価値がある**と思います。

POINT

本や映画を説明するための定型表現を学びましょう。

作品の主要なテーマやプロットを紹介するときは、

It's about a young wizard who discovers his magical heritage.

主要なキャラクターやその特徴を紹介するときは、

The main character is a detective trying to solve a mystery.

作品が取り扱っているテーマやメッセージについて話すときは、

The film explores themes like love, loss, and redemption.

物語の中心となる人物や出来事に焦点を当てるときは、

The story revolves around a group of friends navigating high school.

好きなTVドラマは何ですか？

▶ ▶ ▶ 1 'The Marvelous Mrs. Maisel' is one of my favorites.

▶ ▶ ▶ 2 理由
It's really funny and the acting is great.

▶ ▶ ▶ 3 具体例
The show is set in the 1950s and is about a woman trying to become a comedian. I think it's a great watch.

A：What's your favorite TV series?

B：'The Marvelous Mrs. Maisel' is one of my favorites.
It's really funny and the acting is great. The show is set in
the 1950s and is about a woman trying to become a
comedian. I think it's a great watch.

次に言われそうなこと

A：I've watched it too! My favorite character is Susie. Who's
yours?

（私も見ました！　お気に入りのキャラクターはスージーです。
あなたは？）

151

意見
5

What's your favorite way to relax?

主張

1 私はショッピングに行くのが好きです。

理由

2 私はいつも何かを買うわけではありません。私はただぶらぶら歩くのを楽しんでいます。

▶ ▶ ▶

具体例

3 そのおかげで、私は忙しい一週間のあとリラックスできます。

▶ ▶ ▶

POINT

ストレス解消法については、以下のような言い方があります。

I find yoga really helps with my stress.

（ヨガは私のストレス解消に本当に役立っています。）

I like to unwind by reading a good book.

（よい本を読んでリラックスするのが好きです。）

Listening to music is my way of dealing with stress.

（音楽を聴くのが私のストレス解消法です。）

I try to manage my stress by getting enough sleep.

（十分な睡眠をとることで、ストレスに対処しようとしています。）

お気に入りのリラックス法は
何ですか？

▶ ▶ ▶ **1** 主張
I like to go shopping.

▶ ▶ ▶ **2** 理由
I don't always buy something.
I just enjoy walking around.

▶ ▶ ▶ **3** 具体例
It helps me relax after a busy week.

S T E P 3 話を組み立てるトレーニング

A：What's your favorite way to relax?

B：I like to go shopping.❶ I don't always buy something. I just
enjoy walking around.❷ It helps me relax after a busy week.❸

次に言われそうなこと

A：I would end up spending so much money if I did that.

I useally prefer to just binge-watch Netflix to unwind.

（私ならお金をたくさん使っちゃいそう。私はふだん、Netflix
でドラマを一気見してくつろいでます。）

意見 6

What is your favorite thing about living in Japan?

主張

1 私の好きなところは 安全性です。 ▶ ▶ ▷

理由

2 ここは安全で、 犯罪率が低いです。 ▶ ▶ ▷

具体例

3 私は心配せずに夜、歩けます。 ここは安心感があります。 ▶ ▶ ▷

POINT

海外の友だちとの会話で盛り上がるのは、お互いの国のこと。
便利な質問を覚えましょう。

What's the food like in your country?
(あなたの国の食べ物はどんな感じですか?)

How do people usually spend their holidays there?
(そちらでは通常、休日をどのように過ごしますか?)

I'd love to hear about popular places to visit in your country.
(あなたの国の人気の観光地について聞かせて。)

What are some popular sports or activities in your country?
(あなたの国で人気のスポーツやアクティビティは何ですか?)

日本での暮らしで、
一番好きなことは何ですか?

▶ ▶ ▶ **1**　主張
My favorite aspect is the safety.

▶ ▶ ▶ **2**　理由
It's safe and the crime rate is low.

▶ ▶ ▶ **3**　具体例
I can walk at night without worrying.
I feel secure here.

A : What is your favorite thing about living in Japan?

B : My favorite aspect is the safety. It's safe and the crime rate
is low. I can walk at night without worrying. I feel secure
here.
　　③

次に言われそうなこと

A : The streets are also very clean. I think it's the safest and
cleanest country I've been to.

（街もとてもきれいですよね。今まで行ったなかで一番安全で
きれいな国だと思います。）

おわりに Epilogue

　以上で、シノドス式英会話トレーニングは終了です。
　STEP1の「単語を並べるトレーニング」とSTEP2の「具体的に話す
トレーニング」で、シンプルな英語で英文をつくれるようになりま
したか？　イメージを思い浮かべ、主語と動詞をまず探して、うしろ
に情報を足していく、という感覚は身につきましたか？
　STEP3の「話を組み立てるトレーニング」で、シンプルな英語の
文章を1文ずつつなげて、体験を話したり、意見が言えるようにな
りましたか？　体験を話すとき、情景を生き生きと描写できるように
なりましたか？　意見を言うときは、まず主張をはっきりと言い、つ
いでその理由と具体例を言えるようになりましたか？

　本書のトレーニングを2〜3か月ほど行ったら、オンラインレッ
スンをはじめてみるのはいかがでしょうか。英会話を上達させるた
めには、実際に英語を話す経験が不可欠です。
　レッスンでは、STEP3でみなさんが作成した英文を、講師に確認
してもらってください。「ここは、こうしたほうがいいよ」と修正し
てもらったり、その英文をもとに、講師と話が盛り上がったりする、
こうしたプロセスが、みなさんの英会話力をさらに伸ばしてくれる
でしょう。
　1年後には、楽しく英語で話せるようになっているはずです。

ぼくには、日本語を学んでいる外国の友人が何人かいます。ある
とき、そのうちのひとりのカナダ人に、「どうして日本語を勉強して
いるの?」と聞いたことがあります。

　彼女は、「日本にとても大切な友だちがいて、その人と日本語で話
をしたいの」と答えました。この答えを聞いたとき、ぼくは深い感
動を覚えました。

　大切な友人と話すために、カナダ人にとってとても難しいであろ
う日本語を、何年間もかけて学んでいる。外国語を学ぶことの本質
は、こうしたところにあるのではないでしょうか。

　彼ら、彼女たちの日本語は間違いだらけですし、またつたなくも
あります。それでも、ぼくたちは、ときにおかしな話題で笑いあい、
ときに文化の違いや社会問題をめぐって、ともに頭を悩ませます。

　ぼくたちが英語で会話をするときも、まったく同じです。ぼくら
がつたない英語で言おうとしていることを、真剣に聞き取り、理解
しようとしてくれるはずです。

　友だちとの会話で、うまく伝えられないことがあったならば、あ
とでどう言えばよかったのか、じっくりと考えてみてください。

　英語を話す力、つまり相手に自分の思いを伝える力は、そうして
自然に成長していきます。

かつてぼくは英会話に関心をもっていませんでした。どうせ近い将来、AIが通訳してくれるだろうと考えていました。

　しかし、いま振り返ると、このような考えは本当に浅はかでした。

　たんなる情報交換が目的であるならば、AI通訳でことは足りると思います。今後、ビジネスの商談やアカデミアの議論の場で、AIはなくてはならないツールになっていくでしょう。

　しかし、目的が社交や交遊にあるならば、AIに大きな期待をすることはできないと思います。社交や交遊というのは、ただ情報を交換するだけで成立するものではないからです。

　親しみや信頼を深めながら、人とのつながりを築いていくためには、やはり同じ言葉を話す必要があるのです。そしてこれは、ビジネスやアカデミアでも不可欠でしょう。

　多くのビジネスパーソンが、ビジネス英語を学んでいます。しかし、ビジネスに特化した学習しかしていないために、商談には対応できるようになったけれど、その後の懇親の場で、会話の輪に入れないと嘆く人は少なくありません。

　これではビジネスにおいてもっとも大切な、パーソナルな信頼関係は築けません。

　結局、どのような場であれ、人と人との関係がベースにあるわけですから、今後も英語を話すことの重要性はなくならないのではないでしょうか。

英語でコミュニケーションがとれるようになるなかで、ある日、突然思ったことがあります。

「そうか、英語が話せると、世界中の人と話せるのか!」

　これはぼくにとって、衝撃的な発見でした。

　もちろん、相手が英語を話せば、という条件つきですが（それでも世界では15億の人が英語を話します）、相手が英語を話せさえすれば、その人がどの国の人であっても、相手が言っていることが理解できるし、またぼくの考えや思いを伝えられる。

　これは本当に感動的な発見でした。

　本書は、ぼくが覚えたこの感動を、ひとりでも多くの日本人に体験してほしい、という思いをもって執筆しました。

　シノドス式シンプル英会話を学んだみなさんが、さまざまな国の人びとと笑顔で会話している姿を想像しつつ、ここで筆をおきたいと思います。

　P.S.　本書の執筆にあたって、友人のアマンダさん、シャーロットさん、ペクさん、クリストファーさんにたくさんのことを教えてもらいました。また、編集を担当してくれた丸山瑛野さんには、多くの有益なアドバイスをいただきました。心から感謝いたします。

芹沢一也

著者

芹沢一也 せりざわ かずや

1968年東京生まれ。株式会社シノドス代表取締役。SYNODOS 編集長。シノドス英会話コーチング主宰。慶應義塾大学大学院社会学研究科博士課程単位取得退学。著書に『〈法〉から解放される権力』（新曜社）などがある。

3つのコツで誰でも話せる

シノドス式シンプル英会話

著　者　芹沢一也
発行者　高橋秀雄
編集者　丸山瑛野
発行所　**株式会社 高橋書店**
　　　　〒170-6014 東京都豊島区東池袋3-1-1 サンシャイン60 14階
　　　　電話　03-5957-7103

ISBN978-4-471-11268-4　ⒸSERIZAWA Kazuya Printed in Japan

本書の内容についてのご質問は「書名、質問事項（ページ、内容）、お客様のご連絡先」を明記のうえ、郵送、FAX、ホームページお問い合わせフォームから小社へお送りください。
回答にはお時間をいただく場合がございます。また、電話によるお問い合わせ、本書の内容を超えたご質問にはお答えできませんので、ご了承ください。
本書に関する正誤等の情報は、小社ホームページもご参照ください。

【内容についての問い合わせ先】
　書　面　〒170-6014 東京都豊島区東池袋3-1-1 サンシャイン60 14階
　　　　　高橋書店編集部
　ＦＡＸ　03-5957-7079
　メール　小社ホームページお問い合わせフォームから　(https://www.takahashishoten.co.jp/)

【不良品についての問い合わせ先】
　ページの順序間違い・抜けなど物理的欠陥がございましたら、電話03-5957-7076へお問い合わせください。ただし、古書店等で購入・入手された商品の交換には一切応じられません。